D1063404

L'ŒUF DE DRAGON

Du même auteur
aux Éditions J'ai lu

Le Trône de fer

1 - Le Trône de fer, *J'ai lu 5591*
2 - Le donjon rouge, *J'ai lu 6037*
3 - La bataille des rois, *J'ai lu 6090*
4 - L'ombre maléfique, *J'ai lu 6263*
5 - L'invincible forteresse, *J'ai lu 6335*
6 - Intrigues à Port-Réal, *J'ai lu 6513*
7 - L'épée de feu, *J'ai lu 6709*
8 - Les noces pourpres, *J'ai lu 6894*
9 - La loi du régicide, *J'ai lu 7339*
10 - Le chaos, *J'ai lu 8398*
11 - Les sables de Dorne, *J'ai lu 8495*
12 - Un festin pour les corbeaux, *J'ai lu 8813*
13 - Le bûcher d'un roi, *J'ai lu 10498*
14 - Les dragons de Meereen, *J'ai lu 10866*
15 - Une danse avec les dragons, *J'ai lu 11015*

Riverdream, *J'ai lu 8664*
Le voyage de Haviland Tuf, *J'ai lu 9043*
Windhaven (en coll. avec Lisa Tuttle), *J'ai lu 8226*
Les rois des sables, *J'ai lu 8494*
Une chanson pour Lya, *J'ai lu 10446*
Des astres et des ombres, *J'ai lu 10637*
L'agonie de la lumière, *J'ai lu 10638*
Skin Trade, *J'ai lu 10904*

En semi-poche :

Le Trône de fer, l'intégrale 1
Le Trône de fer, l'intégrale 2
Le Trône de fer, l'intégrale 3
Le Trône de fer, l'intégrale 4
Le Trône de fer, l'intégrale 5

Wild Cards
Wild Cards II Aces High
Wild Cards III Jokers Wild
Wild Cards IV Aces Abroad

GEORGE R.R. MARTIN

L'ŒUF DE DRAGON

Traduit de l'anglais (États-Unis)
par Patrick Marcel

Collection dirigée par Thibaud Eliroff

Titre original :
A MYSTERY KNIGHT
A TALE OF THE SEVEN KINGDOMS

© George R.R. Martin, 2010

Pour la traduction française :
© Éditions Pygmalion, 2014

PERSONNAGES DE L'ACTION

À MURS-BLANCS

Le marié

LORD AMBROSE BEURPUITS, sire de Murs-Blancs.

Les gens du marié

TOMMARD HEDDLE LE NOIR, chevalier de la maison Beurpuits ;

SER ARGRAVE LE BELLIQUEUX, chevalier de Nonnains ;

SER COSGROVE, maître des jeux.

La mariée

LADY BEURPUITS, née Frey.

Les gens de la mariée

LORD FREY, sire du Pont, père de la mariée ;

SER FRANKLYN FREY, chevalier des Jumeaux, oncle de la mariée ;

SER ADDAM FREY, cousin de la mariée.

Les invités de la noce

LORD ALYN CHANTECOQ ;

LORD JOFFREY CASWELL, sire de Pont-l'Amer et défenseur des Gués ;

LORD CHAUNEY ;
LORD COSTAYNE ;
LORD GORMON PEAKE, sire de Stellepique ;
LORD PETIBOIS ;
LORD SUNDERLAND ;
LORD & LADY VOUYVÈRE ;
SER BUFORD BULWER, chevalier de Noircouronne, dit le Vieil Aurochs ;
SER HARBERT PAEGE ;
SER KIRBY PIMM ;
SER LUCAS QUENENNY DE SORCEFANGIER ;
SER MORTIMER TOURBIER.

Les chevaliers errants

SER DUNCAN LE GRAND (et L'ŒUF, AEGON TARGARYEN, son écuyer) ;
SER GALTRY LE VERT ;
SER GLENDON BOULE ;
SER JEHAN LE MÉNÉTRIER ;
SER KYLE, LE CHAT DE LANDE-AUX-BRUMES ;
SER MAYNARD PRÜNH ;
SER UTHOR ENVERFEUILLE, dit l'Escargot.

À LA COUR DES SEPT COURONNES

Le roi sur le Trône de Fer

AERYS Ier TARGARYEN, fils de DAERON II TARGARYEN, dit le Bon ; et petit-fils d'AEGON IV, dit l'Indigne.

Ses frères

BAELOR TARGARYEN, dit Briselance, mort en tournoi ;
RHAEGEL TARGARYEN ;
MAEKAR Ier TARGARYEN, père de DAERON ; d'AERION, dit le Prince Flamboyant (en exil) ; d'AEMON ; et d'AEGON, dit l'Œuf.

Son conseiller

Lord BRYNDEN RIVERS, dit Freuxsanglant, Main d'AERYS Ier et demi-frère de DAERON II.

Les prétendants au Trône de Fer

DAEMON FEUNOYR, dit le Dragon Noir, mort au champ d'Herberouge, demi-frère de DAERON II et père d'AEGON FEUNOYR ; d'AEMON FEUNOYR ; de DAEMON FEUNOYR (considéré comme son héritier légitime, DAEMON II FEUNOYR) ; et d'HAEGON FEUNOYR ;
AEGOR RIVERS, dit Aigracier, demi-frère de DAERON II (en exil).

Dunk et l'Œuf prirent congé de Pierremoûtier sous une fine averse d'été.

Dunk chevauchait Tonnerre, son vieux destrier, l'Œuf à ses côtés sur le fringant jeune palefroi qu'il avait baptisé Pluie, menant Mestre, leur mule. Sur l'échine de Mestre étaient chargés l'armure de Dunk et les livres de l'Œuf, leurs couchages, leur tente et leurs vêtements, plusieurs pièces de bœuf salé coriace, une demi-bouteille d'hydromel et deux outres d'eau. Le vieux chapeau de paille de l'Œuf, informe et large de bord, protégeait de la pluie la tête de la mule. Le jeune garçon avait pratiqué des orifices pour laisser passer les oreilles de Mestre. L'Œuf arborait son nouveau chapeau de paille. Les deux trous pour les oreilles mis à part, les deux couvre-chefs se ressemblaient beaucoup, du point de vue de Dunk.

En approchant des portes de la ville, l'Œuf tira brusquement sur les rênes. Tout au-dessus de la porte, on avait fiché la tête d'un traître sur une pique de fer. Elle était fraîche, à la voir, la chair plus rose que verte, mais les corbeaux amateurs de charogne étaient déjà à l'œuvre sur elle. Le défunt avait les lèvres et les joues déchiquetées, lacérées ; ses yeux, deux trous bruns, laissaient couler de lentes larmes rouges, tandis que les gouttes de pluie se mêlaient au sang coagulé. La bouche du mort béait mollement, comme pour apostropher des voyageurs franchissant la porte en contrebas.

Dunk avait déjà assisté à ce genre de spectacle. « À Port-Réal, quand j'étais gamin, j'ai un jour volé une tête sur sa pique », raconta-t-il à l'Œuf. À la vérité, c'était la Fouine qui avait escaladé le mur pour chiper la tête, après que Rafe et Boudin avaient soutenu qu'il n'oserait jamais, mais lorsque les gardes avaient accouru, il l'avait jetée en bas, et Dunk l'avait rattrapée. « C'était un seigneur félon ou un chevalier brigand. Ou peut-être un simple assassin. Une tête reste une tête. Elles se ressemblent toutes, une fois qu'elles ont passé quelques jours au bout d'une pique. » Ses trois amis et lui avaient employé la tête à terroriser les filles de Culpucier. Ils leur donnaient la chasse à travers les ruelles et les forçaient à baiser la tête avant de les libérer. Voilà une tête qu'on avait beaucoup baisée, pour autant qu'il se souvienne. Il n'y avait aucune fille à Port-Réal qui courût aussi vite que Rafe. Mais mieux valait épargner à l'Œuf cette partie de l'histoire. *La Fouine, Rafe et Boudin. De vrais petits monstres, ces trois-là, et j'étais le pire du lot.* Ses amis et lui avaient conservé la tête jusqu'à ce que la chair vire au noir et commence à se liquéfier. Ça avait retiré tout le plaisir de la chasse aux filles ; aussi, une nuit, avaient-ils fait irruption dans une échoppe de soupe pour en jeter les vestiges dans la marmite. « Les corbeaux attaquent toujours par les yeux, expliqua-t-il à l'Œuf. Ensuite, les joues s'évident, la chair tourne au vert... » Il plissa les yeux. « Minute. Je le connais, ce visage.

— Oui-da, messer, confirma l'Œuf. Il y a trois jours. Le septon bossu que nous avons entendu prêcher à l'encontre de lord Freuxsanglant. »

Cela lui revint. *C'était un saint homme dédié aux Sept, même si en effet il prêchait la trahison.* « Il a les mains rouges du sang d'un de ses frères, et de celui de ses jeunes neveux aussi, avait clamé le bossu à la foule assemblée sur la place du marché. Une ombre à ses ordres est venue étrangler les fils du valeureux prince Valarr dans le ventre de leur mère. Où est-il, désormais, notre Jeune Prince ? Et où est-il, son frère, le doux Matarys ? Où s'en est allé le bon roi Daeron, et Baelor Briselance, l'intrépide ? La tombe s'en est emparée, de tous et de chacun, et pourtant il demeure, ce pâle oiseau au bec ensanglanté qui perche sur l'épaule du roi Aerys et lui croasse à l'oreille. Il porte sur le visage et dans son orbite vide la marque de l'enfer, et il nous a apporté la sécheresse, l'épidémie et le meurtre. Soulevez-vous, vous dis-je, et remémorez-vous notre roi véritable de l'autre côté de la mer. Il y a sept dieux, et sept couronnes, et le Dragon Noir a engendré sept fils ! Soulevez-vous, gentilshommes et gentes dames. Soulevez-vous, preux chevaliers et robustes paysans, et jetez à bas Freuxsanglant, cet ignoble sorcier, de crainte que vos enfants, et les enfants de vos enfants, ne soient maudits à jamais. »

Chacun de ses mots était une trahison. Néanmoins, Dunk était choqué de le trouver ici, des trous béants à la place des yeux. « Certes, c'est lui, reconnut-il, et une raison supplémentaire de laisser cette ville derrière nous. » Il toucha Tonnerre des éperons, et l'Œuf et lui passèrent les portes de Pierremoûtier, en écoutant le doux babil de la pluie. *Combien d'yeux lord Freuxsanglant possède-t-il ?* disait la devinette. *Mille, et rien qu'un.* Certains prétendaient que la Main du Roi était un adepte des arts obscurs, capable de changer de visage, d'adopter l'apparence d'un chien borgne, voire de se muer en brouillard. Des meutes de loups gris efflanqués traquaient ses ennemis, racontait-on, et des corbeaux charognards espionnaient pour son compte et lui soufflaient des secrets à l'oreille. La plupart de ces contes n'étaient que cela, des contes, Dunk n'en doutait pas, mais nul ne pouvait nier que Freuxsanglant eût des informateurs partout.

À Port-Réal, Dunk l'avait vu en personne, de ses propres yeux. Blancs comme l'os étaient la peau et les cheveux de Brynden Rivers, et son œil – il n'en avait qu'un, ayant perdu l'autre aux mains de son demi-frère Aigracier sur le champ d'Herberouge – était rouge comme sang. Sur la joue et le cou il portait la tache de vin qui lui avait valu son nom.

Une fois la ville loin derrière eux, Dunk s'éclaircit la gorge et déclara : « Sale affaire, de trancher la tête de septons. Il se bornait à parler. Les mots sont du vent.

— Certains sont du vent, messer. D'autres sont de la trahison. » L'Œuf était fluet comme une brindille, tout en côtes et en coudes, mais il ne manquait pas de bouche.

« Te voilà qui parles comme un vrai petit prince. »

L'Œuf prit cela comme une insulte, ce qui était le cas. « Il était peut-être septon, mais il prêchait des mensonges, messer. La sécheresse n'était pas le fait de lord Freuxsanglant, ni le Fléau de Printemps, non plus.

— Ce n'est pas faux, mais si on se met à trancher le col de tous les idiots et de tous les menteurs, la moitié des villes des Sept Couronnes vont se retrouver vides. »

Six jours plus tard, la pluie n'était plus qu'un souvenir.

Dunk avait retiré sa tunique pour jouir de la chaleur du soleil sur sa peau. Quand une légère brise se leva, fraîche, douce et parfumée comme le souffle d'une pucelle, il poussa un soupir. « De l'eau, annonça-t-il. Tu la sens ? Le lac ne doit plus être loin, désormais.

— Tout ce que je sens, c'est Mestre, messer. Il pue. » L'Œuf donna un coup féroce sur la longe de la mule. Mestre s'était arrêté pour grignoter l'herbe en bord de route, ainsi qu'il le faisait de temps en temps.

« Il y a une vieille auberge sur les berges du lac. » Dunk y avait un jour fait halte, lorsqu'il était écuyer de l'Ancien. « Selon ser Arlan, ils brassaient une bonne bière brune. On pourrait y goûter, tout en attendant le bac. »

L'Œuf lui jeta un coup d'œil plein d'espoir. « Pour faire descendre le repas, messer ?

— De quel repas parles-tu ?

— Une tranche de rôti ? Un morceau de canard, un bol de ragoût ? Tout ce qu'ils peuvent avoir, messer. »

Leur dernier repas chaud remontait à trois jours. Depuis, ils vivaient de récoltes de hasard et de tranches de vieux bœuf salé, dures comme du bois. *Il serait bon de nous caler l'estomac de vraie nourriture avant de prendre la direction du nord. Il n'est pas tout près, ce Mur.*

« Et nous pourrions aussi passer la nuit, suggéra l'Œuf.

— Souhaiteriez-vous un lit de plume, m'sire ?

— La paille me suffira bien, messer, rétorqua l'Œuf, vexé.

— Nous n'avons pas les moyens de payer un lit.

— Nous avons vingt-deux sous, trois étoiles, un cerf et le vieux grenat ébréché, messer. »

Dunk se gratta l'oreille. « Il me semblait que nous possédions deux pièces d'argent.

— Si fait, jusqu'à ce que vous achetiez la tente. À présent, nous n'en avons plus qu'une.

— Nous n'en aurons plus du tout si nous commençons à dormir dans les auberges. Tu tiens à partager le lit d'un camelot et à te réveiller avec ses puces ? » Dunk ricana. « Pas moi. J'ai les miennes, et elles n'aiment guère les étrangers. Nous dormirons à la belle étoile.

— L'étoile est belle, admit l'Œuf, mais le sol est dur, messer, et il est parfois bon de poser la tête sur un oreiller.

— Les oreillers sont faits pour les princes. » L'Œuf était un écuyer parfait, pour un chevalier, mais de temps en temps il avait des humeurs princières. *Le gamin a le sang du dragon, ne l'oublie jamais.* Pour sa part, Dunk avait du sang de mendiant... du moins, c'est ce qu'on lui répétait au temps de Culpucier, quand on ne lui prédisait pas qu'il finirait sur l'échafaud. « On aura peut-être les moyens de s'offrir de la bière et un repas chaud, mais pas question que je dépense du bon argent pour un lit. Nous devons économiser nos sous pour le nocher. » La dernière fois qu'il avait franchi le lac, le bac ne coûtait que quelques pièces en cuivre, mais cela remontait à six ans, voire sept. Tout avait augmenté, depuis.

« Eh bien, proposa l'Œuf, nous pourrions utiliser ma botte pour traverser.

— Nous pourrions. Mais nous ne le ferons pas. » Il était dangereux d'employer la botte. *La rumeur allait se répandre. Les rumeurs se répan-*

daient toujours. Ce n'était pas un hasard si son écuyer était chauve. L'Œuf avait les yeux mauves de l'ancienne Valyria, et des cheveux qui brillaient comme de l'or battu et des fils d'argent tressés ensemble. Autant porter une broche avec un dragon à trois têtes que de laisser pousser sa chevelure. L'époque était périlleuse, à Westeros, et... bref, mieux valait ne pas courir de risques. « Encore un mot sur ta foutue botte, et je te fiche une telle taloche sur l'oreille, que c'est *en volant* que tu vas le traverser, ce lac.

— Plutôt nager, messer. » L'Œuf était bon nageur ; pas Dunk. Le gamin se retourna sur sa selle. « Messer ? Quelqu'un arrive par la route, derrière nous. Vous entendez les chevaux ?

— Je ne suis pas sourd. » Dunk voyait également leur sillage de poussière. « Un groupe important. Et pressé.

— Vous croyez que ce pourrait être des hors-la-loi, messer ? » L'Œuf se dressa sur ses étriers, avec plus d'intérêt que de crainte. Le gamin était ainsi.

« Des hors-la-loi seraient plus discrets. Seuls des seigneurs produisent autant de vacarme. » Dunk secoua la poignée de son épée pour dégager la lame dans son fourreau. « Néanmoins, nous allons quitter la route pour les laisser passer. Il y a seigneurs et seigneurs. » Un brin de prudence ne faisait jamais de mal. Les routes n'étaient plus aussi sûres qu'au temps où le bon roi Daeron siégeait sur le Trône de Fer.

L'Œuf et lui se cachèrent derrière un buisson d'aubépine. Dunk décrocha son bouclier et le glissa à son bras. C'était une vieillerie, haute et lourde, en forme d'amande, en pin cerclé de fer. Il l'avait acheté à Pierremoûtier pour remplacer celui que le Double-Flandrin lui avait mis en pièces durant leur combat. Dunk n'avait pas eu le temps d'y faire peindre son orme à l'étoile filante, si bien qu'il arborait encore les armes du propriétaire précédent : un pendu en train de se balancer, sinistre et gris, sous un gibet. Ce n'était pas des armoiries qu'il aurait choisies pour lui, mais le bouclier ne lui avait pas coûté cher.

Les premiers cavaliers passèrent au galop quelques instants plus tard : deux jeunes nobliaux montés sur une paire de coursiers. Celui qui chevauchait le bai portait un heaume en acier doré découvrant son visage, avec trois grands panaches de plumes : un blanc, un rouge et un or. Des plumets assortis ornaient la barde d'encolure de son cheval. L'étalon noir à ses côtés était drapé de bleu et d'or. Son caparaçon se plissait au vent de sa course tandis qu'il filait dans un bruit de tonnerre. Côte à côte galopèrent les cavaliers, avec force cris et rires, leurs longues capes volant derrière eux.

Un troisième seigneur suivit à un train plus pondéré, à la tête d'une longue file. L'équipage comptait deux douzaines de personnes, palefreniers, cuisiniers et serviteurs, tous au service de trois chevaliers, plus des gens d'armes et des arbalétriers montés, et une douzaine de chariots lourdement encombrés de leurs armures, tentes et provisions. Accroché à la selle du seigneur pendait son écu, orange sombre, chargé de trois châteaux noirs.

Dunk connaissait ces armes, mais d'où ? Le seigneur qui les arborait était un homme d'âge mûr, la lippe amère et la mine morose sous une barbe poivre et sel coupée court. *Peut-être se trouvait-il au champ de Cendregué*, se dit Dunk. *À moins que je n'aie exercé dans son château lorsque j'étais écuyer de ser Arlan.* Le vieux chevalier errant avait servi dans tant de citadelles et de châteaux différents au cours des ans que Dunk en avait oublié la moitié.

Le seigneur tira subitement sur les rênes, considérant le buisson d'aubépine avec une grimace. « Vous, là. Dans le fourré. Montrez-vous. » Derrière lui, deux arbalétriers glissèrent des viretons dans l'encoche. Le reste poursuivit sa route.

Dunk traversa les hautes herbes, bouclier au bras, la main droite posée sur le pommeau de sa flamberge. La poussière soulevée par les chevaux avait changé son visage en masque ocre rouge, et il était torse nu. Il présentait un aspect débraillé, il en avait conscience, bien que ce fût sans doute sa taille qui fit hésiter l'autre. « Nous ne cherchons pas querelle, m'sire. Nous ne sommes que deux, mon écuyer et moi. » Il fit signe à l'Œuf d'avancer.

« Un écuyer ? Vous prétendez-vous chevalier ? »

Dunk n'aimait guère la façon dont l'individu le regardait. *Ces yeux pourraient écorcher vif un homme.* Il lui parut prudent d'ôter sa main de son épée. « Je suis chevalier errant, en quête de service.

— Tous les chevaliers brigands que j'ai pendus en disaient autant. Vos armes pourraient se révéler prophétiques, messer... si *messer* il y a bien. Un gibet et un pendu. Ce sont vos armes ?

— Nenni, m'sire. J'ai besoin de faire repeindre ce bouclier.

— Pourquoi ? En avez-vous dépouillé un cadavre ?

— Je l'ai acheté, contre bonne monnaie. » *Trois châteaux, noirs sur orange... où ai-je déjà vu ça ?* « Je ne suis pas un brigand. »

Les yeux du lord étaient des éclats de silex. « Comment avez-vous récolté cette cicatrice à votre joue ? Une coupure de fouet ?

— Un poignard. Bien que mon visage ne soit nullement votre affaire, m'sire.

— Je serai seul juge de ce qui me regarde. »

Entre-temps, les deux chevaliers plus jeunes étaient revenus au trot voir ce qui retardait leur groupe. « Ah, te voilà, Gormy », lança le cavalier sur le cheval noir, un jeune homme mince et souple, au visage accort et glabre, aux traits séduisants. Des cheveux noirs lui tombaient, luisants, sur les épaules. Il portait un pourpoint en soie bleu sombre, bordé de satin doré. Une croix engrêlée était brodée au fil d'or en travers de sa poitrine, avec une vielle dorée dans les premier et troisième quartiers, une épée dorée dans les second et quatrième. Ses yeux reflétaient le bleu profond de sa cotte et pétillaient d'amusement. « Alyn craignait que tu ne sois tombé de cheval. Clairement, un prétexte, il me semble ; j'allais lui laisser avaler ma poussière.

— Qui sont ces deux brigands ? » s'enquit le cavalier sur le cheval bai.

L'Œuf se hérissa sous l'insulte. « Vous n'avez nul lieu de nous traiter de brigands, messire. Quand nous avons vu votre panache de poussière, nous avons pensé que vous pourriez, vous, être des hors-la-loi – c'est pour cette seule raison que nous nous sommes cachés. Voici ser Duncan le Grand, et je suis son écuyer. »

Les nobliaux n'y accordèrent pas plus d'attention qu'ils ne l'eussent fait aux coassements d'un crapaud. « Voilà, je crois, le plus immense maraud que j'aie jamais vu », affirma le chevalier aux trois plumes. Il avait le visage empâté sous une chevelure frisée d'une couleur miel sombre. « Sept pieds à coup sûr, j'en gagerais. Quel fracas il produira en s'écroulant. »

Dunk sentit le rouge lui monter au visage. *Tu perdrais ton pari*, songea-t-il. La dernière fois qu'on l'avait mesuré, le frère de l'Œuf, Aemon, l'avait déclaré un pouce au-dessous des sept pieds.

« Est-ce là votre palefroi, ser Géant ? s'enquit le nobliau emplumé. Je suppose que nous pourrions l'abattre pour sa viande.

— Lord Alyn oublie fréquemment les règles de la courtoisie, intervint le chevalier aux cheveux noirs. Veuillez pardonner l'impertinence de ses paroles, messer. Alyn, tu vas demander pardon à ser Duncan.

— S'il le faut. Voulez-vous me pardonner, messer ? » Il n'attendit pas la réponse, faisant virer son bai pour partir au trot sur la route.

L'autre s'attarda. « Êtes-vous en route vers les noces, messer ? »

Quelque chose dans le ton de sa voix donnait à Dunk envie de courber la tête. Il résista à cette impulsion et déclara : « Nous faisons route vers le bac, m'sire.

— Nous également... mais les seuls seigneurs ici présents sont Gormy et le vaurien qui vient de nous quitter, ser Alyn Chantecoq. Je suis comme vous un chevalier buissonnier, sans terre. Ser Jehan le Ménétrier, m'appelle-t-on. »

C'était bien le genre de nom qu'aurait pu choisir un chevalier errant, mais Dunk n'avait encore jamais vu de chevalier errant vêtu, armé ou monté avec tant de splendeur. *Le chevalier d'or errant*, se dit-il. « Vous connaissez mon nom. Mon écuyer s'appelle l'Œuf.

— Heureux de la rencontre, messer. Venez, chevauchez en notre compagnie jusqu'à Murs-Blancs et rompez quelques lances pour aider lord Beurpuits à célébrer son nouveau mariage. Je gage que vous pourrez y faire bonne impression. »

Dunk n'avait pas participé à une joute depuis le champ de Cendregué. *Si je pouvais remporter quelques rançons, nous mangerions amplement en faisant route vers le Nord*, songea-t-il, mais le seigneur aux trois châteaux sur l'écu déclara : « Ser Duncan se doit de poursuivre sa route, comme nous. »

Jehan le Ménétrier ne prêta aucune attention à son aîné. « Je serais ravi de croiser le fer avec vous, messer. Je me suis mesuré à des hommes de bien des pays et des races, mais jamais à aucun de votre taille. Votre père était-il grand, lui aussi ?

— Je n'ai jamais connu mon père, messer.

— Je suis marri de l'apprendre. Mon propre géniteur m'a trop tôt été ravi. » Le Ménétrier se tourna vers le seigneur aux trois châteaux. « Nous devrions demander à ser Duncan de se joindre à notre joyeuse compagnie.

— Nous n'avons nul besoin de gens de son espèce. »

Les mots manquèrent à Duncan. Il n'était pas fréquent qu'on invitât des chevaliers errants sans le sou à chevaucher avec des seigneurs de haute naissance. *J'aurais plus en commun avec leurs serviteurs.* À en juger par la longueur du cortège, lord Chantecoq et le Ménétrier avaient amené des palefreniers pour veiller sur leurs chevaux, des cuisiniers pour les nourrir, des écuyers pour polir leurs armures, des gardes pour les défendre. Dunk avait l'Œuf.

« Son espèce ? » Le Ménétrier s'esclaffa. « Mais de quelle espèce parlez-vous ? Celle des colosses ? Regardez donc sa *taille* ! Nous recherchons des hommes forts. Jeune épée vaut mieux que nom ancien, ai-je souvent entendu dire.

— Par des sots. Vous en savez tant et moins sur cet homme. Ce pourrait être un brigand, ou un des espions de lord Freuxsanglant.

— Je ne suis l'espion de personne, répliqua Dunk. Et vous n'avez nul besoin de parler de moi comme si j'étais sourd ou mort, ou à Dorne, m'sire. »

Ces yeux de silex le toisèrent. « Vous seriez fort bien à Dorne, messer. Vous avez ma permission d'y aller.

— Ne faites pas attention à lui, intervint le Ménétrier. C'est un vieux grognon – il soupçonne tout le monde. Gormy, cet homme me fait bonne impression. Ser Duncan, voulez-vous venir avec nous à Murs-Blancs ?

— M'sire, je... » Comment pourrait-il partager un camp avec de tels personnages ? Leurs serviteurs allaient dresser leurs pavillons, les palefreniers bouchonner leurs montures, leurs cuisiniers leur serviraient à chacun un chapon ou un rôti de bœuf, tandis que Dunk et l'Œuf rongeraient de coriaces tranches de bœuf salé. « Je ne saurais...

— Vous voyez bien, commenta le seigneur aux trois châteaux. Il connaît sa place, et elle n'est pas auprès de nous. » Il tourna sa monture vers la route. « Lord Chantecoq a déjà dû prendre une demi-lieue d'avance.

— Je suppose qu'il va me falloir de nouveau lui donner la chasse. » Le Ménétrier décocha à Dunk un sourire d'excuse. « Peut-être nous reverrons-nous un jour. Je l'espère. Je serais ravi de mettre ma lance à l'épreuve contre vous. »

Dunk ne savait que répondre à cela. « Bonne chance sur les lices, messer », réussit-il enfin à articuler, mais ser Jehan avait déjà fait demi-tour pour se jeter à la poursuite de la colonne. Le seigneur plus âgé galopa à sa suite. Dunk se félicita de le voir s'éloigner. Il n'avait pas apprécié le silex de son regard, ni l'arrogance de lord Alyn. Certes, le Ménétrier avait été courtois, mais il y avait également chez lui quelque chose de bizarre. « Deux vielles et deux épées, une croix engrêlée », détailla-t-il à l'Œuf, tandis qu'ils contemplaient le panache de leur départ. « Quelle est cette maison ?

— Aucune, messer. Je n'ai jamais vu cet écu dans aucun rôle d'armes. »

Peut-être est-ce bien un chevalier errant, après tout. Dunk avait choisi ses propres armes au champ de Cendregué, quand une marionnettiste du nom de Tanselle la Dégingandée lui avait demandé ce qu'il souhaitait qu'on peigne sur son écu. « Et l'autre seigneur, était-il parent de la maison Frey ? » Les Frey portaient sur leurs boucliers des châteaux, et leurs domaines n'étaient guère éloignés d'ici.

L'Œuf leva les yeux au ciel. « Les armes des Frey sont deux *tours* bleues, réunies par un pont, sur champ gris. Ici, c'étaient trois *châ-*

teaux, noirs sur orange, messer. Avez-vous vu un pont ? »

« Non. » *Il cherche uniquement à m'agacer.* « Et la prochaine fois que tu lèves les yeux au ciel devant moi, je vais te flanquer une taloche sur l'oreille, si fort qu'elle va se recroqueviller une bonne fois pour toutes dans ta tête. »

L'Œuf parut contrit. « Je ne voulais pas…

— Peu importe, ce que tu voulais. Dis-moi simplement de qui il s'agissait.

— Gormon Peake, seigneur de Stellepique.

— C'est dans le Bief, ça, non ? Est-ce qu'il possède vraiment trois châteaux ?

— Uniquement sur son écu, messer. La maison Peake en possédait trois, jadis, mais elle en a perdu deux.

— Comment peut-on perdre deux châteaux ?

— En se battant pour le Dragon Noir, messer.

— Oh. » Dunk se sentit tout bête. *Encore cette histoire.*

Deux siècles durant, le royaume avait été régi par les descendants d'Aegon le Conquérant et de ses sœurs, qui avaient unifié les Sept Couronnes et forgé le Trône de Fer. Leurs royales bannières arboraient le dragon à trois têtes de la maison Targaryen, rouge sur noir. Il y avait seize ans de cela, un fils bâtard du roi Aegon IV, du nom de Daemon Feunoyr, s'était soulevé et révolté contre son frère de naissance légitime. Daemon avait lui aussi exhibé le dragon à trois têtes sur ses bannières, mais en en inversant les couleurs, à la mode de nombreux bâtards. Sa révolte avait pris fin sur le champ d'Herberouge, où Daemon et ses fils jumeaux avaient trouvé la mort sous la pluie de flèches de lord Freuxsanglant. Les rebelles qui avaient survécu et ployé le genou avaient reçu un pardon, mais certains avaient perdu des terres, d'autres des titres, d'autres encore de l'or. Tous avaient cédé des otages pour garantir leur loyauté à venir.

Trois châteaux, noirs sur orange. « Ça me revient, à présent. Ser Arlan n'a jamais aimé parler du champ d'Herberouge mais, un jour qu'il avait bu, il m'a raconté comment le fils de sa sœur avait péri. » Il pouvait presque entendre à nouveau la voix du vieil homme, sentir le vin sur son haleine. « Roger de L'Arbre-sous, c'était son nom. Il a eu la tête fracassée par une masse que maniait un seigneur avec trois châteaux sur son bouclier. » *Lord Gormon Peake. L'Ancien n'a jamais su son nom. Ou n'a jamais voulu le connaître.* Désormais, lord Peake, Jehan le Ménétrier et leur cortège se réduisaient à un panache de poussière rouge au loin. *C'était il y a seize ans. Le Prétendant a péri, et ceux qui l'avaient suivi ont été exilés ou pardonnés. De toute façon, cela n'a rien à voir avec moi.*

Un moment, ils chevauchèrent sans rien dire, en écoutant les cris plaintifs des oiseaux. Au bout d'une demi-lieue, Dunk s'éclaircit la gorge pour déclarer : « Beurpuits, a-t-il dit. Est-ce que ses terres sont proches ?

— Sur l'autre berge du lac, messer. Lord Beurpuits était Grand Argentier au temps où le roi Aegon siégeait sur le Trône de Fer. Le roi Daeron l'a nommé Main, mais pas longtemps. Ses armes sont ondées de vert, de blanc et de jaune, messer. » L'Œuf adorait faire parade de sa science de l'héraldique.

« Est-ce un ami de ton père ? »

L'Œuf fit la grimace. « Mon père ne l'a jamais aimé. Durant la Rébellion, le cadet de lord Beurpuits a lutté pour le Prétendant, et son aîné pour le roi. De cette façon, il était assuré de se retrouver du côté du vainqueur. Lord Beurpuits ne s'est battu pour personne.

— D'aucuns le jugeraient prudent.

— Mon père le traite de capon. »

Certes, c'est bien son style. Le prince Maekar était un homme dur, fier et plein de morgue. « Nous devons passer par Murs-Blancs pour rejoindre la route Royale. Pourquoi ne pas nous remplir la panse ? » Cette seule idée suffisait à faire gargouiller son estomac. « Il se peut qu'un des invités de la noce ait besoin d'une escorte pour regagner son propre domaine.

— Vous avez dit que nous allions vers le nord.

— Le Mur a tenu huit mille ans, il durera encore un peu. Il y a mille lieues entre ici et là-bas, et avoir plus d'argent dans notre bourse ne nous ferait aucun mal. » Dunk se représentait à cheval sur Tonnerre, galopant sus au vieux seigneur morose aux trois châteaux sur son écu. Ce serait bien plaisant. *« C'est l'écuyer du vieux ser Arlan qui vous a défait », je pourrais lui annoncer, lorsqu'il viendrait verser rançon pour récupérer ses armes et son armure. « Le gamin qui remplacé le jeune homme que vous avez tué. » Cela aurait plu à l'Ancien.*

« Vous ne songez pas à vous inscrire sur les lices, si, messer ?

— Le moment est peut-être venu.

— Non, messer.

— Le moment est peut-être venu de te ficher une taloche sur l'oreille. » *Je n'aurais à remporter que deux joutes. Si je pouvais gagner deux rançons et n'en payer qu'une, nous mangerions un an durant comme des rois.* « S'il y avait une mêlée, je pourrais m'y inscrire. » La taille et la force de Dunk le serviraient mieux dans une mêlée que sur les lices.

« On n'a pas coutume d'organiser de mêlée lors d'un mariage, messer.

— On a coutume de donner un banquet, en revanche. Nous avons un long chemin à parcourir. Pourquoi ne pas nous mettre en route le ventre plein, pour une fois ? »

Le soleil était bas sur l'ouest quand ils virent enfin le lac, ses eaux scintillant de rouge et d'or, brillant comme une plaque de cuivre battu. Lorsqu'ils aperçurent les tourelles de l'auberge au-dessus de quelques peupliers, Dunk revêtit de nouveau sa tunique trempée de sueur et fit halte pour s'asperger le visage d'eau. Il se lava de son mieux de la poussière de la route, et passa ses doigts mouillés dans son épaisse crinière de cheveux décolorés par le soleil. On ne pouvait rien changer à sa taille, ni à la cicatrice qui lui marquait la joue, mais il voulait quelque peu atténuer ses airs de chevalier brigand sauvage.

L'auberge était plus grande qu'il ne s'y attendait, une vaste bâtisse en rondins, grise et coiffée de tourelles, pour moitié construite sur des pilotis au-dessus de l'eau. On avait posé un cheminement en planches grossièrement taillées sur la berge boueuse du lac jusqu'à l'embarcadère, mais on ne voyait ni bac ni mariniers. De l'autre côté de la route se dressait une écurie avec un toit de chaume. Un muret en pierraille ceinturait la cour, mais le portail était ouvert. À l'intérieur, ils découvrirent un puits et un abreuvoir. « Occupe-toi des bêtes, ordonna Dunk à l'Œuf, mais veille à ce qu'elles ne boivent pas trop. Je vais me renseigner sur la nourriture. »

Il trouva l'aubergiste en train de balayer les marches. « Vous venez pour le bac ? s'enquit la commère. Vous arrivez trop tard. Le soleil se couche et Ned aime pas traverser de nuit, à moins que la lune soit pleine. Il sera de retour au point du jour.

— Savez-vous combien il demande ?

— Trois sous pour chacun de vous, et dix pour vos chevaux.

— Nous avons deux chevaux et une mule.

— Pareil pour la mule, c'est dix. »

Dunk fit ses comptes dans sa tête, et totalisa trente et six, plus qu'il n'espérait payer. « La dernière fois que je suis passé par ici, ce n'était que deux sous, et six pour les chevaux.

— Voyez ça avec Ned, c'est pas mes affaires. Si vous cherchez un lit, j'en ai pas à vous offrir. Lord Chauney et lord Costayne ont amené leur suite. Je suis pleine à craquer.

— Lord Peake est ici, lui aussi ? » *Il a tué l'écuyer de ser Arlan.* « Il accompagnait lord Chantecoq et Jehan le Ménétrier.

— Ned les a pris à bord pour sa dernière traversée. » Elle toisa Dunk de haut en bas. « Vous faisiez partie de leur suite ?

— Nous les avons rencontrés en route, simplement. » Une bonne odeur s'exhalait par les fenêtres de l'auberge, un fumet qui mit l'eau à la bouche de Dunk. « Peut-être aimerions-nous goûter un peu à ce que vous faites cuire, si ce n'est pas trop cher.

— C'est du sanglier sauvage, répondit la commère, poivré à cœur et servi avec des oignons, des champignons et une purée de rutabagas.

— Nous nous passerons bien des rutabagas. Quelques tranches de sanglier et une chope de votre bonne bière brune nous suffiraient. Combien en demanderiez-vous ? Et pourrions-nous avoir une place par terre dans votre écurie, peut-être, où coucher pour la nuit ? »

C'était une erreur. « L'écurie, c'est pour les chevaux. C'est pour ça qu'on appelle ça une écurie. Z'êtes haut comme un cheval, je vous l'accorde, mais je vous vois que deux jambes. » Elle agita son balai vers lui, pour le chasser.

« Faudrait pas s'attendre à ce que je nourrisse les Sept Couronnes au grand complet. Le sanglier est réservé à mes clients. Et ma bière, pareil. Je voudrais pas que des seigneurs s'en aillent raconter que je suis tombée à court de nourriture ou de boisson avant qu'ils soient rassasiés. Le lac regorge de poissons, et vous trouverez d'autres vauriens qui campent du côté des souches. Des chevaliers errants, à les entendre. » Le ton de sa voix laissait clairement deviner qu'elle ne s'en laissait pas conter. « Il se peut qu'ils aient de la nourriture à partager. C'est pas mes affaires. Allez, filez, à présent, j'ai de l'ouvrage, moi. » La porte se ferma derrière elle avec un claquement vigoureux, avant même que Dunk ait songé à demander où ces souches pouvaient se situer.

Il rejoignit l'Œuf qui était assis sur l'abreuvoir à chevaux, les pieds trempant dans l'eau, en train de s'éventer avec son grand chapeau informe. « Est-ce qu'ils grillent du cochon, messer ? Ça sent le pourceau rôti.

— Le sanglier sauvage, précisa Dunk d'un ton lugubre, mais qui irait manger du sanglier quand on a du bon bœuf salé ? »

L'Œuf fit la grimace. « Est-ce que je pourrais pas plutôt manger mes bottes, messer, s'il vous plaît ? Je m'en fabriquerai une nouvelle paire avec le bœuf salé. Ce sera plus résistant.

— Non, répondit Dunk en essayant de ne pas sourire. Pas question de manger tes bottes. Mais encore un mot, et c'est mon poing que tu vas manger. Retire-moi donc tes pieds de cette auge. » Il trouva son heaume sur la mule et le lança à l'Œuf d'un tir lobé. « Puise de l'eau au puits et fais-y ramollir le bœuf. » Si l'on ne le trempait pas très longuement, le bœuf salé était capable de vous casser les dents. Il avait meilleur goût quand on l'attendrissait dans la bière, mais l'eau ferait l'affaire. « Et ne prends pas l'eau de l'abreuvoir, non plus. J'ai pas envie d'avoir le goût de tes pieds.

— Mes pieds ne pourraient qu'en améliorer le goût, messer », répliqua l'Œuf en gigotant des orteils. Mais il obéit aux instructions.

Localiser les chevaliers errants ne se révéla pas une tâche ardue. L'Œuf repéra leur feu qui clignotait dans les bois, sur la berge du lac, aussi se dirigèrent-ils vers lui, suivis des animaux à la longe. Le gamin tenait sous un bras le heaume de Dunk, clapotant à chaque pas qu'il faisait. Désormais, le soleil n'était plus qu'un souvenir cramoisi à l'ouest. Assez vite, les arbres s'écartèrent, et ils se retrouvèrent dans ce qui devait être jadis un bosquet de barrals. Seuls subsistaient un cercle de souches blanches et un lacis de racines pâles comme l'os pour indiquer où se dressaient les arbres, au temps où les enfants de la forêt régnaient sur Westeros.

Entre les souches de barrals, ils virent deux hommes accroupis près d'un feu de cuisine, se passant une outre de vin de la main à la main. Leurs chevaux broutaient l'herbe à l'extérieur du bosquet, et les hommes avaient disposé leurs armes et armures en empilements soignés. Un homme bien plus jeune s'était assis à l'écart des deux autres, adossé à un marronnier. « Bien le bonjour, messers », lança Dunk d'une voix joviale. Il n'était jamais conseillé d'arriver par surprise parmi des hommes armés. « Je m'appelle ser Duncan le Grand. Ce gamin, c'est l'Œuf. Pouvons-nous partager votre feu ? »

Un homme trapu d'âge mûr se leva pour les accueillir, vêtu d'atours déguenillés. Une extravagante barbe rousse lui encadrait le visage. « Bien le bonjour, ser Duncan. Vous êtes fort grand... et tout à fait bienvenu, assurément, de même que votre palefrenier. *L'Œuf*, c'est ça ? Qu'est-ce donc que ce nom, s'il vous plaît ?

— Un nom court, messer. » L'Œuf n'était pas assez sot pour révéler que c'était le sobriquet d'Aegon. Pas à des inconnus.

« Certes. Qu'est-il arrivé à vos cheveux ? »

Les vers de racines, pensa Dunk. *Explique-lui que c'étaient des vers de racines, petit.* C'était l'histoire la plus sûre, celle qu'ils racontaient le plus souvent... bien que, parfois, l'Œuf se mît en tête de s'adonner à des momeries.

« Je les ai rasés, messer. J'ai l'intention de demeurer ainsi jusqu'à ce que je remporte mes éperons.

— Noble vœu. Je suis ser Kyle, le Chat de Lande-aux-Brumes. Sous le marronnier là-bas est assis ser Glendon, euh... Boule. Et voici le brave ser Maynard Prünh. »

L'Œuf dressa l'oreille à ce nom. « Prünh… seriez-vous parent avec lord Viserys Prünh, messer ?

— Lointain parent », avoua ser Maynard, un homme grand, maigre et voûté, aux longs et raides cheveux filasse, « bien que je doute que Sa Seigneurie le reconnaisse. On pourrait dire qu'il appartient à la branche suave des Prünh, tandis que je viens du côté aigre ». Malgré des bords élimés et sa médiocre teinture, la cape de Prünh avait le mauve de son nom. Une broche en opale, grosse comme un œuf de poule, la retenait à l'épaule. Par ailleurs, il portait du coutil de couleur brune et du cuir teinté en marron.

« Nous avons du bœuf salé, annonça Dunk.

— Ser Maynard a un sac de pommes, répondit Kyle le Chat. Et j'ai des œufs marinés et des oignons. Ma foi, tous ensemble, nous avons de quoi préparer un festin ! Asseyez-vous, messer. Nous avons un ample choix de souches pour assurer votre confort. Nous sommes ici jusqu'au milieu de la matinée, si je ne m'abuse. Il n'y a qu'un seul bac, et il n'est pas assez grand pour tous nous charger à bord. Les seigneurs et leurs escortes devront traverser les premiers.

— Aide-moi avec les chevaux », demanda Dunk à l'Œuf. À eux deux, ils débarrassèrent de leurs selles Tonnerre, Pluie et Mestre.

Ce fut seulement une fois les bêtes nourries, abreuvées et entravées pour la nuit que Dunk accepta l'outre de vin que lui proposait ser Maynard. « Même de la piquette vaut mieux que rien du tout, déclara Kyle le Chat. Nous boirons de plus grands crus à Murs-Blancs. Lord Beurpuits a la réputation d'avoir les meilleurs vins au nord de La Treille. Il a été autrefois Main du Roi, comme le père de son père avant lui, et on le dit homme pieux, par-dessus le marché, et très riche.

— Sa fortune lui vient entièrement des vaches, poursuivit Maynard Prünh. Il devrait adopter un pis gonflé pour blason. C'est du lait qui coule dans les veines des Beurpuits, et les Frey ne valent pas mieux. Ce sera un mariage entre voleurs de bétail et agents d'octroi, une clique de grippe-monnaie qui se joint à une autre. Lorsque le Dragon Noir s'est rebellé, notre seigneur des vaches a dépêché un de ses fils auprès de Daemon et un autre auprès de Daeron, afin de garantir qu'il y aurait un Beurpuits dans le camp des vainqueurs. Tous deux ont péri sur le champ d'Herberouge, et son benjamin est mort lors du printemps. Voilà pourquoi il conclut ce nouveau mariage. Si sa nouvelle épouse ne lui donne pas de fils, le nom des Beurpuits s'éteindra avec lui.

— Il le devrait. » Ser Glendon Boule frotta une fois encore son épée avec sa pierre à aiguiser. « Le Guerrier hait les poltrons. »

Le mépris dans sa voix incita Dunk à regarder le jeune homme de plus près. Ser Glendon portait des vêtements de bonne étoffe, mais fort usés et dépareillés, avec l'apparence de fripes de seconde main. Des épis de cheveux brun sombre dépassaient de sous son demi-heaume de fer. Le jeune homme lui-même était courtaud et trapu, avec de petits yeux rapprochés, une lourde carrure et des bras musclés. Ses sourcils broussailleux ressemblaient à deux chenilles au terme d'un printemps pluvieux, il avait le nez bulbeux et le menton pugnace. Et il était jeune. *Seize ans, peut-être. Dix-huit, pas plus.* Dunk l'aurait sans doute pris pour un écuyer si ser Kyle n'avait usé du *ser* en le nommant. En lieu de barbe, le jeune homme avait les joues couvertes de boutons.

« Depuis combien de temps êtes-vous chevalier ? lui demanda Dunk.

— Suffisamment. La moitié d'un an, au prochain changement de lune. C'est ser Morgan Donestable des Sauts Périlleux qui m'a adoubé, deux douzaines de personnes en ont été témoins, mais je me prépare à la chevalerie depuis ma naissance. Je chevauchais avant que de marcher, et j'ai fait sauter une dent de la mâchoire d'un adulte avant que d'avoir perdu la moindre des miennes. J'ai l'intention d'établir ma réputation à Murs-Blancs, et de remporter l'œuf de dragon.

— L'œuf de dragon ? Serait-ce la récompense du champion ? En vérité ? » Le dernier dragon avait péri un demi-siècle plus tôt. Ser Arlan avait toutefois vu un jour une couvée de ses œufs. *Ils étaient durs comme la pierre, mais magnifiques à regarder*, avait raconté l'Ancien à Dunk. « Comment lord Beurpuits est-il entré en possession d'un œuf de dragon ?

— Le roi Aegon a fait présent de l'œuf au père de son père, après avoir passé une nuit comme invité dans son ancien château, expliqua ser Maynard Prünh.

— Était-ce en récompense de quelque valeureuse prouesse ? » s'enquit Dunk.

Ser Kyle ricana doucement. « On pourrait appeler ça comme ça. La rumeur veut que l'ancien lord Beurpuits ait eu trois filles pucelles, lorsque Sa Grâce est passée lui rendre visite. Au matin, elles avaient toutes trois un bâtard royal dans leur petit bedon. Une chaude nuit de travail, on peut le dire. »

Dunk avait déjà entendu de tels propos. Aegon l'Indigne aurait couché avec la moitié des donzelles du royaume et donné à toutes des bâtards, à ce qu'on prétendait. Pire, le vieux roi les avait tous légitimés sur son lit de mort ; autant les gueux, nés de filles de taverne, de putains et de bergères, que les Grands Bâtards, dont les mères étaient de haute lignée. « Nous serions tous des bâtards du vieux roi Aegon, si la moitié de ces histoires étaient fondées.

— Et qui peut dire que nous ne le sommes pas ? plaisanta ser Maynard.

— Vous devriez venir avec nous à Murs-Blancs, ser Duncan, le pressa ser Kyle. Votre taille attirera à coup sûr l'œil de quelque nobliau. Vous pourriez vous retrouver bien employé, là-bas. Je sais que ce sera mon cas. Joffrey Caswell sera présent à ces noces, le sire de Pont-l'Amer. Quand il avait trois ans, je lui ai fabriqué sa première épée. Je l'ai sculptée dans du pin, à la taille de sa main. Quand j'étais plus vert, j'ai juré mon épée à son père.

— Était-elle aussi taillée dans du pin, celle-là ? » s'enquit ser Maynard.

Kyle le Chat eut la bonne grâce d'en rire. « C'était une épée de bon acier, je vous l'assure. J'aurais plaisir à la manier de nouveau au service du Centaure. Ser Duncan, même si vous décidez de ne pas jouter, joignez-vous donc à nous, pour le banquet des noces. Il y aura des chanteurs et des musiciens, des jongleurs et des acrobates, et une troupe de nains comiques. »

Dunk fit la moue. « L'Œuf et moi avons un long trajet devant nous. Nous allons vers le nord, et Winterfell. Lord Beron Stark rassemble des épées pour chasser une bonne fois pour toutes les Seiches de ses côtes.

— Trop froid pour moi, là-haut, commenta ser Maynard. Si vous tenez à tuer des Seiches, partez à l'ouest. Les Lannister construisent des navires pour riposter contre les Fer-nés sur leurs îles natales. Voilà comment on en finit avec Dagon Greyjoy. Le combattre sur terre est stérile, il se contente de reprendre la mer. C'est sur l'eau qu'il faut le vaincre. »

Cela avait des accents de vérité, mais la perspective d'affronter des Fer-nés en mer n'enchantait guère Dunk. Il en avait eu un avant-goût à bord de la *Dame Blanche*, en partance de Dorne pour Villevieille, lorsqu'il avait revêtu son armure afin d'aider l'équipage à repousser des pirates. La lutte avait été désespérée et sanglante et, à un moment, il avait failli tomber à l'eau. Ça aurait été sa fin.

« Le Trône devrait prendre exemple sur Stark et Lannister, déclara ser Kyle le Chat. Ils se battent, eux au moins. Que fichent les Targaryen ? Le roi Aerys se cache parmi ses bouquins, le prince Rhaegel gambade tout nu à travers les salles du Donjon Rouge, et le prince Maekar rumine à Lestival. »

L'Œuf tisonnait le feu avec une baguette, pour libérer des étincelles qui s'envolaient dans la nuit. Dunk se réjouit de le voir ignorer la mention du nom de son père. *Peut-être a-t-il enfin appris à tenir sa langue.*

« Pour ma part, je blâme Freuxsanglant, poursuivit ser Kyle. Il est Main du Roi, et pourtant, il ne fait rien, alors que les Seiches sèment les flammes et la terreur d'une extrémité à l'autre des mers du Crépuscule. »

Ser Maynard haussa les épaules. « Il garde l'œil rivé sur Tyrosh, où siège Aigracier en exil, à comploter avec les fils de Daemon Feunoyr. Et donc, il conserve les vaisseaux du roi à portée de main, de crainte qu'ils ne tentent une traversée.

— Certes, c'est sans doute cela, admit ser Kyle, mais beaucoup verraient le retour d'Aigracier d'un œil favorable. Freuxsanglant est à la source de tous nos malheurs, le ver blanc qui ronge le cœur du royaume. »

Dunk fronça les sourcils, en se remémorant le septon bossu de Pierremoûtier. « De telles paroles pourraient vous coûter votre tête. D'aucuns pourraient vous accuser de parler trahison.

— Comment la vérité pourrait-elle être une trahison ? lui demanda Kyle le Chat. Au temps du roi Daeron, un homme n'avait pas à redouter de dire ce qu'il pensait, mais à présent ? » Il émit un bruit obscène. « Freuxsanglant a placé le roi Aerys sur le Trône de Fer, mais pour combien de temps ? Aerys est faible et, lorsqu'il mourra, éclatera une guerre sanglante entre lord Rivers et le prince Maekar pour la couronne, la Main contre l'héritier.

— Vous oubliez le prince Rhaegel, mon ami, intervint ser Maynard d'une voix douce. Il vient en succession directe après Aerys, et non Maekar, et après lui, ses enfants.

— Rhaegel est un simple d'esprit. Quoi, je ne lui veux aucun mal, mais c'est comme si ce drôle était déjà mort, et ses jumeaux pareillement. Reste à savoir s'ils périront sous la massue de Maekar ou les sortilèges de Freuxsanglant... »

Que les Sept nous protègent, songea Dunk tandis que montait, aiguë et sonore, la voix de l'Œuf. « Le prince Maekar est le *frère* du prince Rhaegel. Il l'aime bien. Jamais il ne lui ferait de mal, ni à lui ni aux siens.

— Tais-toi donc, petit, gronda Dunk. Ces chevaliers n'ont que faire de tes opinions.

— Je parlerai si je veux.

— Non, jeta Dunk. Tais-toi. » *Ta gueule te fera tuer, un de ces jours. Et moi par la même occasion, probablement.* « Le bœuf salé a suffisamment trempé, je pense. Une tranche pour chacun de nos amis, et ne lambine pas. »

L'Œuf rougit et, l'espace d'un demi-battement de cœur, Dunk eut peur que le gamin ne réplique. Mais il se contenta d'une mine boudeuse, fulminant comme seul sait le faire un garçon de onze ans. « Bien, messer », dit-il, partant à la pêche au fond du heaume de Dunk. Son crâne rasé prenait des reflets rouges à la clarté du feu tandis qu'il distribuait le bœuf salé.

Dunk reçut sa part et s'escrima sur elle. L'imbibition avait mué la viande de bois en cuir, mais c'était tout. Il en suçota un coin, ruminant le goût du sel en essayant de ne pas songer au sanglier rôti de l'auberge, croustillant sur sa broche et ruisselant de graisse.

Au fur et à mesure que le crépuscule s'approfondissait, les taons et les moustiques montaient du lac par essaims. Les taons préféraient harceler leurs chevaux, mais les moustiques avaient une préférence pour la chair humaine. La seule façon d'éviter les piqûres était de s'asseoir près du feu, à respirer la fumée. *Cuire ou être dévoré*, songea lugubrement Dunk. *Voilà bien un choix de gueux*. Il se gratta les bras et se rapprocha du feu.

L'outre ne tarda pas à refaire un tour. Le vin était aigre et fort. Dunk but longuement et fit circuler l'outre, tandis que le Chat de Landeaux-Brumes se mettait à conter comment il avait sauvé la vie du sire de Pont-l'Amer, au cours de la rébellion Feunoyr. « Lorsque le porte-bannière de lord Armond est tombé, j'ai sauté à bas de mon cheval, avec des traîtres tout autour de nous...

— Messer..., intervint Glendon Boule. Qui étaient-ils, ces *traîtres* ?

— Les hommes de Feunoyr, je voulais dire. »

Les lueurs du feu rutilèrent sur l'acier dans la main de ser Glendon. Les marques sur son visage grêlé flambaient du rouge des plaies ouvertes, et chacun de ses muscles était aussi tendu qu'une arbalète. « Mon père a combattu pour le Dragon Noir. »

Encore cette histoire. Dunk renâcla. On ne posait jamais la question *rouge ou noir ?* à quelqu'un. Cela créait toujours des problèmes. « Je suis certain que ser Kyle n'avait aucune intention d'insulter votre père.

— Aucune, confirma ser Kyle. C'est une vieille histoire, le Dragon Rouge et le Noir. Aucune raison de nous chamailler à ce sujet maintenant, mon garçon. Nous sommes tous des frères errants, ici. »

Ser Glendon sembla soupeser les paroles du Chat, pour juger si on se moquait de lui. « Daemon Feunoyr n'était pas un traître. C'est *à lui* que le vieux roi a transmis l'épée. Il a perçu la valeur de Daemon, quand bien même il était né bâtard. Pourquoi sinon lui aurait-il mis Feunoyr en main, plutôt qu'à Daeron ? Il comptait lui faire hériter aussi du royaume. Daemon était le meilleur des deux. »

Un silence tomba. Dunk entendait doucement crépiter le feu. Il sentait des moustiques se poser sur sa nuque. Il leur assena une claque, surveillant l'Œuf, voulant de toutes ses forces qu'il se tienne tranquille. « Je n'étais qu'un enfant quand on a livré bataille sur le champ d'Herberouge », déclara-t-il lorsqu'il apparut que personne d'autre ne prendrait la parole, « mais j'ai été l'écuyer d'un chevalier qui s'est battu avec le Dragon Rouge, et j'en ai plus tard servi un autre qui avait lutté pour le Noir. Il y a eu des braves dans les deux camps.

— Des braves », reprit en écho Kyle le Chat, d'une voix un peu éteinte.

« Des héros. » Glendon Boule fit pivoter son écu, afin que tous puissent voir l'emblème qui y était peint, une boule de feu filant, rouge et jaune, à travers un champ noir comme la nuit. « Je descends d'un sang de héros.

— Vous êtes le fils de *Boulenfeu* », comprit l'Œuf.

Ce fut la première fois qu'ils virent ser Glendon sourire.

Ser Kyle le Chat étudia le jeune homme de près. « Comment est-ce possible ? Quel âge avez-vous ? Quentyn Boule est mort…

— … avant ma naissance, acheva ser Glendon, mais il revit en moi. » Il renfonça d'un coup sec son épée au fourreau. « Je vous en ferai démonstration à tous, à Murs-Blancs, quand je remporterai l'œuf de dragon. »

Le lendemain prouva la pertinence de la prophétie de ser Kyle. Le bac de Ned n'était en aucune façon assez grand pour accueillir tous ceux qui souhaitaient traverser, aussi les lords Costayne et Chauney durent-ils passer les premiers, avec leurs escortes. Cela exigea plusieurs voyages, chacun prenant plus d'une heure. Il fallait compter avec les bancs de vase, les chevaux et les chariots qu'on devait conduire au long des planches pour les charger sur le bateau et les débarquer à nouveau sur l'autre berge du lac. Les deux seigneurs ralentirent encore les affaires en se lançant dans un assaut d'invectives sur la question de la préséance. Si Chauney était l'aîné, Costayne se considérait comme mieux né.

Pour Dunk, il n'y avait rien d'autre à faire, sinon attendre en transpirant. « On pourrait passer les premiers si vous me laissiez employer ma botte, suggéra l'Œuf.

— On pourrait, répondit Dunk, mais on ne le fera pas. Lord Costayne et lord Chauney étaient là avant nous. D'ailleurs, ce sont des seigneurs. »

L'Œuf fit la moue. « Des seigneurs rebelles. »

Dunk lui jeta un regard noir. « Qu'est-ce que tu veux dire ?

— Ils en tenaient pour le Dragon Noir. Enfin, lord Chauney, et le père de lord Costayne. Aemon et moi, on a reconstitué la bataille sur la table verte de mestre Melaquin, avec des soldats peints et de petites bannières. Les armoiries de Costayne écartèlent un calice d'argent sur champ noir avec une rose noire sur or. Cette bannière se tenait sur le flanc gauche de l'ost de Daemon. Chauney se trouvait avec Aigracier sur la droite, et il a failli succomber à ses blessures.

— De l'histoire ancienne, et enterrée. Ils sont ici à présent, non ? C'est donc qu'ils ont ployé le genou et que le roi Daeron leur a accordé son pardon.

— Oui, mais… »

Dunk pinça les lèvres du gamin pour le faire taire. « Tiens ta langue. »

L'Œuf tint sa langue.

À peine le dernier chargement des hommes de Chauney s'était-il écarté de la rive que lord et lady Petibois se présentèrent au débarcadère avec leur propre cortège, aussi l'attente fut-elle de nouveau prolongée.

La fraternité des errants n'avait pas survécu à la nuit, on le constatait clairement. Ser Glendon demeurait à l'écart, rogue et morose. Kyle le Chat avait jugé que midi arriverait avant qu'on les laisse monter dans le bac, aussi s'était-il détaché des autres pour tenter de gagner les faveurs de lord Petibois, qu'il connaissait vaguement. Ser Maynard passait le temps à échanger des ragots avec l'aubergiste.

« Tiens bien tes distances, avec celui-là », avertit Dunk en s'adressant à l'Œuf. Il y avait chez Prünh quelque chose qui le dérangeait. « Ce pourrait être un chevalier brigand, pour ce qu'on en sait. »

La remarque parut seulement augmenter l'intérêt de l'Œuf envers ser Maynard. « Je n'ai jamais rencontré de chevalier brigand. Croyez-vous qu'il a l'intention de voler l'œuf de dragon ?

— Lord Beurpuits aura placé l'œuf sous bonne garde, j'en suis certain. » Dunk gratta les piqûres de moustiques sur sa nuque. « Crois-tu qu'il puisse l'exposer durant le banquet ? J'aimerais en voir un.

— Je vous montrerais bien le mien, messer, mais il se trouve à Lestival.

— Le tien ? Tu as un *œuf de dragon* ? » Dunk regarda le gamin en fronçant les sourcils et en se demandant s'il se moquait. « D'où sort-il ?

— D'une dragonne, messer. On l'a déposé dans mon berceau.

— Tu veux une taloche sur l'oreille ? Il n'y a plus de dragons.

— Non, mais il y a des œufs. Le dernier dragon en a laissé une couvée de cinq, et ils en ont encore d'autres sur Peyredragon, des anciens remontant à avant la Danse. Mes frères en ont tous, aussi. Celui d'Aerion semble fait d'or et d'argent, avec des veines de feu qui courent à travers. Le mien est vert et blanc, tout en spirales.

— Ton œuf de dragon. » *On l'a déposé dans son berceau.* Dunk avait tellement l'habitude de l'Œuf qu'il en oubliait parfois qu'Aegon était prince. *Bien sûr, qu'on a déposé un œuf de dragon dans son berceau.* « Bon, ben, veille à ne pas parler de ton œuf quand quelqu'un pourrait t'entendre.

— Je ne suis pas *idiot*, messer. » L'Œuf baissa la voix. « Un jour, les dragons reviendront. Mon frère Daeron l'a rêvé, et le roi Aerys l'a lu dans une prophétie. Ce sera peut-être mon œuf qui va éclore. Ce serait *magnifique*.

— Vraiment ? » Dunk avait des doutes.

Pas l'Œuf. « Aemon et moi avions coutume d'imaginer que ce seraient nos œufs qui écloraient. En ce cas, nous pourrions voler à travers ciel à dos de dragon, comme le premier Aegon et ses sœurs.

— Certes. Et pour peu que tous les autres chevaliers du royaume trépassent, je serais lord Commandant de la Garde Royale. Si ces foutus œufs sont tellement précieux, pourquoi lord Beurpuits offre-t-il le sien ?

— Pour démontrer au royaume l'étendue de sa richesse ?

— Je suppose. » Dunk se gratta de nouveau le cou et jeta un coup d'œil vers ser Glendon Boule, qui resserrait les sangles de sa selle en attendant le bac. *Ce cheval ne conviendra jamais.* La monture de ser Glendon était un poney au dos creux, rabougri et vieux. « Que sais-tu de son père ? Pourquoi l'appelait-on Boulenfeu ?

— Parce qu'il était une tête brûlée et qu'il avait les cheveux roux. Ser Quentyn Boule était maître d'armes au Donjon Rouge. Il a appris à mon père et à mes oncles à se battre. Aux Grands Bâtards également. Le roi Aegon avait promis de l'élever jusqu'à la Garde Royale, aussi Boulenfeu a-t-il envoyé son épouse rejoindre les sœurs du silence ; seulement, le temps qu'une position s'ouvre, le roi Aegon était mort, et le roi Daeron a nommé à sa place ser Willem Wylde. Mon père raconte que c'est Boulenfeu autant qu'Aigracier qui a convaincu Daemon Feunoyr de revendiquer la couronne, et qui l'a sauvé quand Daeron a envoyé la Garde Royale l'arrêter. Plus tard, Boulenfeu a tué lord Lefford aux portes de Port-Lannis et envoyé le Lion Gris se cacher à l'intérieur du Roc. Lors du passage de la Mander, il a occis un par un les fils de lady Penrose. On prétend qu'il a épargné la vie du benjamin par bonté pour sa mère.

— Voilà qui était chevaleresque de sa part, dut reconnaître Dunk. Ser Quentyn a-t-il péri sur le champ d'Herberouge ?

— Avant, messer. Un archer lui a transpercé la gorge d'une flèche alors qu'il mettait pied à terre près d'un ruisseau pour aller boire. Un banal homme du commun, personne ne sait qui.

— Ces hommes du commun peuvent être dangereux, sitôt qu'ils se mêlent d'occire seigneurs et héros. » Dunk vit le bac qui approchait lentement sur le lac. « Le voilà.

— Il est lent. Est-ce que nous allons passer à Murs-Blancs, messer ?

— Pourquoi pas ? J'ai envie de voir cet œuf de dragon. » Dunk sourit. « Si je gagnais le tournoi, nous en aurions *tous les deux*, des œufs de dragon. »

L'Œuf lui jeta un regard sceptique.

« Quoi ? Pourquoi est-ce que tu me regardes comme ça ?

— Je pourrais vous répondre, messer, déclara le jeune garçon avec dignité, mais j'ai besoin d'apprendre à tenir ma langue. »

Ils assirent les chevaliers errants tout au bas bout de la table, plus près des portes que de l'estrade.

Murs-Blancs était pratiquement neuf, en termes de château, ayant été élevé à peine une quarantaine d'années plus tôt par l'aïeul de son seigneur actuel. Le peuple de la région le surnommait la Laiterie, car ses murailles, ses donjons et ses tours se composaient de belle pierre taillée blanche, prélevée dans les carrières du Val et transportée à grands frais par-dessus les montagnes. À l'intérieur, on trouvait des sols et des colonnes en marbre d'un blanc laiteux veiné d'or ; les solives au plafond étaient taillées dans des troncs de barrals, blancs comme l'os. Dunk n'aurait su imaginer le coût de tout cela.

La grand-salle n'était pas si vaste que d'autres qu'il avait connues, cependant. *Au moins, on nous a acceptés sous son toit*, se dit Dunk en prenant place sur le banc, entre ser Maynard Prünh et Kyle le Chat. Bien que n'ayant pas été invités, tous trois avaient été assez promptement accueillis au banquet ; refuser l'hospitalité à un chevalier le jour de ses noces portait malheur.

Le jeune ser Glendon avait toutefois rencontré plus de difficultés. Dunk entendit l'intendant de lord Beurpuits lui déclarer, d'une voix de stentor : « Boulenfeu n'a jamais eu de fils. » Le jouvenceau riposta avec ardeur, et le nom de ser Morgan Donestable fut cité à plusieurs reprises, mais l'intendant demeurait inébranlable. Quand ser Glendon porta la main à la poignée de son épée, une douzaine de gens d'armes surgit, piques en main, et il sembla un instant que le sang coulerait. Seule l'intervention d'un grand chevalier blond du nom de Kirby Pimm sauva la situation. Dunk se trouvait trop loin pour entendre, mais il vit Pimm passer un bras autour des épaules de l'intendant et lui murmurer à l'oreille, en riant. L'intendant se rembrunit et adressa à ser Glendon quelques mots qui firent virer le visage du jeune homme à l'écarlate. *On dirait qu'il va fondre en larmes*, se dit Dunk, en observant la scène. *Ça, ou tuer quelqu'un.* Au terme de tout ce désordre, on admit finalement le jeune chevalier dans la grand-salle du château.

Le pauvre Œuf n'eut pas autant de chance. « La grand-salle est réservée aux seigneurs et aux chevaliers », les avait informés avec morgue un sous-intendant, lorsque Dunk avait essayé de faire entrer le jeune homme. « Nous avons dressé des tables dans la cour intérieure pour les écuyers, les palefreniers et les hommes d'armes. »

Si tu avais le moindre soupçon de son identité, tu l'aurais installé sur l'estrade, dans un trône rembourré. Dunk n'avait guère aimé la mine des autres écuyers. Quelques-uns étaient des gamins de l'âge de l'Œuf, mais la plupart étaient plus vieux, des guerriers vétérans qui avaient depuis longtemps choisi de servir un chevalier plutôt que d'en devenir un eux-mêmes. *Mais avaient-ils eu le choix ?* L'état de chevalier exigeait plus que de l'esprit de chevalerie et une habileté aux armes ; il demandait également une monture, une épée et une armure, et tout cela coûtait cher. « Surveille ta langue », recommanda-t-il à l'Œuf avant de le laisser en leur compagnie. « Ce sont des adultes ; ils supporteront mal tes insolences. Assieds-toi, mange et écoute, tu pourrais apprendre des choses. »

Pour sa part, Dunk s'estimait déjà heureux d'avoir quitté le soleil cuisant, avec une coupe de vin face à lui et l'occasion de se remplir la panse. Même un chevalier errant peut se lasser de ruminer une demi-heure chaque bouchée de nourriture. De ce côté, au bas bout, la chère serait ordinaire, plutôt que recherchée, mais elle ne ferait pas défaut. Le bas bout convenait tout à fait à Dunk.

Mais l'orgueil du paysan est la honte du nobliau, comme disait l'Ancien. « Ce ne peut être la place qui m'est due », déclara avec emportement ser Glendon Boule au sous-intendant. Il avait revêtu pour le banquet un justaucorps propre, un vieux vêtement de belle allure, avec de la dentelle dorée aux manchettes et au col, et les chevrons rouges à besants blancs de la maison Boule brodés en travers de son torse. « Sais-tu qui était mon père ?

— Un noble chevalier et un puissant seigneur, je n'en doute point, répondit le sous-intendant, mais il en va de même pour nombre de gens, ici. Je vous prie de prendre place ou congé, messer. Cela m'est tout égal. »

Le jouvenceau finit par s'asseoir au bas bout de la table avec tous les autres, la bouche morose. La longue salle blanche se remplissait et les chevaliers se pressaient au fur et à mesure sur les bancs. L'assistance était plus importante que Dunk ne s'y attendait et, apparemment, certains invités venaient de très loin. L'Œuf et lui n'avaient plus côtoyé autant de seigneurs et de chevaliers depuis le champ de Cendregué, et il n'y avait aucun moyen de deviner qui d'autre risquait de se présenter. *Nous aurions dû rester parmi les haies, à dormir sous les arbres. Si on me reconnaît...*

Lorsqu'un serviteur déposa une miche de pain noir sur la pièce d'étoffe placée devant chacun d'eux, Dunk lui fut reconnaissant de lui changer les idées. Il fendit la miche dans le sens de la longueur, évida la moitié inférieure pour en faire un tranchoir, et mangea la moitié supérieure. Elle était rassise, mais, comparée à son bœuf salé, c'était un délice. Au moins, on ne devait pas la tremper dans de la bière, du lait ou de l'eau afin de l'attendrir suffisamment pour pouvoir la mastiquer.

« Ser Duncan, vous paraissez attirer une attention considérable », fit observer ser Maynard Prünh tandis que lord Vouyvère et sa suite passaient avec ostentation pour aller prendre des places de grand honneur au haut bout de la salle. « Ces damoiselles sur l'estrade semblent incapables de détacher les yeux de vous. Je parierais qu'elles n'ont jamais vu un homme d'une telle taille. Même assis, vous dépassez d'une demi-tête n'importe qui dans la salle. »

Dunk arrondit les épaules. Il avait l'habitude d'être dévisagé, mais cela ne signifiait pas qu'il l'appréciait. « Qu'elles regardent.

— C'est le Vieil Aurochs là-bas sous l'auvent, nota ser Maynard. On le qualifie de colosse, mais il me semble que sa bedaine est ce qu'il a de plus énorme. Vous êtes un bougre de géant, à côté de lui.

— Certes, messer », intervint un de leurs compagnons sur le banc, un homme hâve, maussade, vêtu en gris et vert. Il avait de petits yeux madrés, proches l'un de l'autre sous de fins sourcils arqués. Une barbe noire soignée lui encadrait la bouche, pour compenser son front dégarni. « Dans un domaine tel que celui-ci, votre taille devrait suffire à faire de vous un des plus formidables concurrents.

— Je m'étais laissé dire que la Brute de Bracken viendrait peut-être », commenta un autre homme, plus loin sur le banc.

« Je ne crois pas, répondit l'homme en vert et gris. C'est une simple joute pour célébrer les noces de Sa Seigneurie. Un assaut de lances dans la cour pour marquer l'assaut sous les draps. Ça n'en vaut guère la peine, pour des gens comme Otho Bracken. »

Ser Kyle le Chat but une gorgée de vin. « Je parierais que messire de Beurpuits n'entrera pas sur les lices non plus. Il encouragera ses champions depuis sa loge de seigneur, à l'ombre.

— En ce cas, il verra ses champions tomber, se vanta ser Glendon Boule, et pour finir, il me remettra son œuf.

— Ser Glendon est le fils de Boulenfeu, expliqua ser Kyle au nouveau venu. Nous ferez-vous l'honneur de dire votre nom, messer ?

— Ser Uthor Enverfeuille. Le fils de personne d'important. » Les vêtements d'Enverfeuille étaient de bonne étoffe, propres et bien entretenus, mais de coupe simple. Une broche d'argent en forme d'escargot agrafait sa cape. « Si votre lance se rapporte à votre langue, ser Glendon, vous pourriez même donner du fil à retordre au grand gaillard ici présent. »

Ser Glendon jeta un coup d'œil à Dunk tandis qu'on versait le vin. « Si nous nous rencontrons, il tombera. Sa taille m'importe peu. »

Dunk regarda un serveur remplir sa coupe de vin. « Je me débrouille mieux avec une épée qu'une lance, reconnut-il, et mieux encore avec une hache de bataille. Y aura-t-il une mêlée, ici ? » Sa taille et sa force joueraient en sa faveur dans une mêlée, et il savait qu'il pouvait rendre coup pour coup. La joute était un autre problème.

« Une mêlée ? À un mariage ? » Ser Kyle parut scandalisé. « Ce ne serait pas convenable. »

Ser Maynard laissa échapper un petit rire. « Tout mariage *est* une mêlée, n'importe quel homme marié pourra vous le confirmer. »

Ser Uthor rit aussi. « Il n'y a que la joute, je le crains, et, en sus de l'œuf de dragon, lord Beurpuits a promis trente dragons d'or au perdant de la dernière rencontre, et dix à chacun des chevaliers défaits lors de la manche précédente. »

Dix dragons, ce n'est pas si mal. Dix dragons lui paieraient un palefroi, si bien que Dunk n'aurait pas besoin de monter Tonnerre, sinon au combat. Dix dragons achèteraient une armure de plates pour l'Œuf, et un pavillon de chevalier convenable, brodé de l'orme à l'étoile filante de Dunk. *Dix dragons signifieraient de l'oie rôtie, du jambon et de la tourte de pigeon.*

« Il y a également des rançons à percevoir, pour ceux qui remportent leur assaut, expliqua ser Uthor tout en évidant son tranchoir, et j'ai entendu dire par la rumeur que certains placent des paris sur les rencontres. Lord Beurpuits lui-même n'est guère homme à courir des risques, mais parmi ses invités, il en est qui sont de gros parieurs. »

À peine avait-il parlé qu'Ambrose Beurpuits fit son entrée, au son d'une fanfare de trompettes partie de la galerie des ménestrels. Dunk se remit debout avec tous les autres tandis que Beurpuits escortait sa nouvelle épouse jusqu'à l'estrade, bras dessus bras dessous, le long d'un tapis myrien ornementé. La donzelle avait quinze ans et était tout juste fleurie, le seigneur son époux cinquante, et tout juste veuf. Elle était rose, il était gris. Sa traîne de mariée s'étirait derrière elle, en broderies ondées de vert, de blanc et de jaune. La parure semblait si chaude et si lourde que Dunk se demanda comment elle pouvait l'endurer. Lord Beurpuits donnait lui aussi l'impression d'avoir chaud et d'être lourd, avec ses bajoues massives et ses rares cheveux blond pâle.

Le père de la mariée la suivait de près, main dans la main avec son jeune fils. Lord Frey du Pont était un homme mince, élégant, en bleu et gris ; son héritier, un garçonnet de quatre ans dépourvu de menton, dont le nez dégoulinait de morve. Suivaient les seigneurs Costayne et Risley, avec ces dames leurs épouses, filles de la première épouse de lord Beurpuits. Venaient ensuite les filles de Frey, avec leurs maris respectifs. Puis ce furent lord Gormon Peake ; les seigneurs Petibois, et Chauney ; divers moindres seigneurs et chevaliers fieffés. Parmi eux, Dunk aperçut Jehan le Ménétrier et Alyn Chantecoq. Lord Alyn semblait pris de boisson, bien que le banquet n'eût pas encore véritablement commencé.

Le temps que tous aient gagné l'estrade d'un pas alerte, le haut bout de la table était aussi encombré que les bancs. Lord Beurpuits et son épouse s'assirent sur de dodus coussins de duvet dans un trône double en chêne doré. Le reste se carra sur de hauts fauteuils aux bras plaisamment sculptés. Sur le mur derrière eux, pendaient des solives deux immenses bannières : les tours jumelles de Frey, bleu sur gris, et l'ondé vert, blanc et jaune des Beurpuits.

Il incomba à lord Frey de porter les toasts. « *Le roi !* » débuta-t-il, simplement. Ser Glendon brandit sa coupe de vin au-dessus de la cuvette d'eau. Dunk fit tinter la sienne contre elle, et contre celles de ser Uthor ainsi que des autres. Ils burent.

« *Lord Beurpuits, notre gracieux hôte*, clama ensuite Frey. Puisse le Père lui accorder longue vie et de nombreux fils. »

Ils burent à nouveau.

« *Lady Beurpuits, l'épouse pucelle, ma fille chérie.* Puisse la Mère la rendre fertile. » Frey lança à la jeune femme un sourire. « J'exige un petit-fils avant le terme de l'an. Des jumeaux me conviendraient encore mieux, aussi baratte bien le beurre ce soir, ma douce. »

Les rires résonnèrent contre les poutres, et les invités burent encore une fois. Le vin était fort, rouge et sucré.

Puis lord Frey annonça : « Je bois à la Main du Roi, Brynden Rivers. Puisse la lampe de l'Aïeule éclairer son chemin vers la sagesse. » Il leva haut sa coupe et but, en même temps que lord Beurpuits et son épouse, et les autres sur l'estrade. Au bas bout de la table, ser Glendon retourna sa coupe pour en renverser le contenu sur le sol.

« Triste gaspillage de bon vin, commenta Maynard Prünh.

— Je ne bois pas aux fratricides, répliqua ser Glendon. Lord Freuxsanglant est un sorcier et un bâtard.

— Né bâtard, concéda avec bonhomie ser Uthor, mais son royal père l'a légitimé sur son lit de mort. » Il but à grands traits, de même que ser Maynard et bien d'autres dans la salle. Presque autant avaient baissé leur coupe, ou l'avaient retournée, à l'instar de Boule. Celle de Dunk lui pesait lourdement dans la main. *Combien d'yeux lord Freuxsanglant possède-t-il ?* demandait la devinette. *Mille, et rien qu'un.*

Les toasts succédèrent aux toasts, proposés tantôt par lord Frey, tantôt par d'autres. Ils burent au jeune lord Tully, seigneur lige de lord Beurpuits, qui s'était excusé de ne pouvoir assister au mariage. Ils burent à la santé de Leo l'Épine, sire de Hautjardin, que la rumeur disait souffrant. Ils burent à la mémoire de leurs morts valeureux. *Certes*, songea Dunk en se souvenant, *je boirai volontiers à leur santé.*

Ser Jehan le Ménétrier lança le toast final. « *À mes braves frères !* Je sais qu'ils sourient, ce soir ! »

Dunk n'avait pas eu l'intention de boire autant, avec des joutes le lendemain, mais on remplissait de nouveau les coupes après chaque toast, et il se découvrit assoiffé. « Ne jamais refuser une coupe de vin ou une corne de bière, lui avait dit un jour ser Arlan, un an pourrait passer avant que tu en voies une autre. » *Il aurait été discourtois de ne pas boire à la santé de la mariée et de son époux*, se justifia-t-il, *et dangereux de ne pas boire au roi et à sa Main, parmi tous ces étrangers.*

Miséricordieusement, le toast du Ménétrier était le dernier. Lord Beurpuits se leva lourdement, pour les remercier d'être venus et promettre de belles joutes pour le lendemain. « Que le banquet commence ! »

Au haut bout de la table, on servit du cochon de lait, un paon rôti dans son plumage, un grand brochet dans une croûte d'amandes broyées. Pas une bouchée de tout cela n'atteignit le bas bout. En lieu de cochon de lait, ils eurent du porc salé, humecté au lait d'amande et agréablement poivré. En lieu de paon, des chapons croustillants, dorés à point et farcis d'oignons, de fines herbes, de champignons et de châtaignes grillées. Plutôt que du brochet, ils mangèrent des portions de morue blanche friable dans une croûte pâtissière, avec un genre de sauce brune savoureuse que Dunk ne sut pas tout à fait identifier. Il y eut en complément de la bouillie de pois, des navets au beurre, des carottes arrosées de miel, et un fromage blanc bien fait qui sentait aussi fort que Bennis au Bouclier Brun. Dunk se régala, et se demanda tout du long ce qu'on servait à l'Œuf, dans la cour. À tout hasard, il glissa un demi-chapon dans la poche de sa cape, avec quelques quignons de pain et un peu de l'odorant fromage.

Pendant qu'ils mangeaient, vielles et cabrettes emplissaient la salle d'airs enjoués, et la conversation s'orienta vers les joutes du lendemain. « Ser Franklyn Frey jouit d'une belle réputation le long de la Verfurque », estimait Uthor Enverfeuille, qui semblait bien connaître ces héros régionaux. « C'est lui, là-bas, sur l'estrade, l'oncle de la mariée. Lucas Quenenny vient de Sorcefangier, il ne faudrait pas le négliger. Non plus que ser Mortimer Tourbier, de la presqu'île de Claquepince. Par ailleurs, tout ceci devrait être un tournoi de chevaliers de maison et de héros de village. Kirby Pimm et Galtry le Vert sont les meilleurs d'entre eux, même si aucun d'eux n'égale le gendre de lord Beurpuits, Tom Heddle le Noir. Un mauvais drôle, celui-là. Il a remporté la main de la fille aînée de Sa Seigneurie en tuant trois des autres prétendants de la belle, raconte-t-on, et a une fois désarçonné le sire de Castral Roc.

— Quoi, le jeune lord Tybolt ? demanda ser Maynard.

— Non, le vieux Lion Gris, qui est mort lors du printemps. » C'est ainsi qu'on parlait de ceux qui avaient succombé au cours du Fléau de Printemps. *Il est mort lors du printemps.* Ils étaient des dizaines de milliers à être morts lors du printemps et, parmi eux, un roi et deux jeunes princes.

« Ne prenez pas ser Buford Bulwer à la légère, intervint Kyle le Chat. Le Vieil Aurochs a occis quarante hommes sur le champ d'Herberouge.

— Et le décompte monte tous les ans, nota ser Maynard. Le temps de Bulwer est révolu.

Regardez-le. Soixante ans passés, mou, gras et pratiquement aveugle de l'œil droit.

— Ne vous donnez pas la peine d'écumer la salle pour trouver le champion, déclara une voix derrière Dunk. Me voici, messers. Admirez de tous vos yeux. »

Dunk se retourna pour découvrir ser Jehan le Ménétrier qui le dominait, un demi-sourire aux lèvres. Son pourpoint de soie blanche avait des manches à crevés doublées de satin rouge, si longues que leurs pointes pendaient plus bas que ses genoux. Une lourde chaîne en argent s'arquait en travers de son torse, cloutée d'énormes améthystes sombres de couleur assortie à celle de ses yeux. *Sa chaîne vaut autant que la totalité de mes biens*, se dit Dunk.

Le vin avait coloré les joues de ser Glendon et enflammé ses boutons. « Qui êtes-vous, pour prononcer de telles vantardises ?

— On m'appelle Jehan le Ménétrier.

— Êtes-vous musicien ou guerrier ?

— Il se trouve que je peux faire chanter de belle façon la lance autant que l'archet résiné. Tout mariage a besoin d'un chanteur, et chaque tournoi d'un chevalier mystère. Puis-je me joindre à vous ? Beurpuits a eu la bonté de me placer sur l'estrade, mais je préfère la compagnie de mes camarades chevaliers errants à celle de grosses dames en rose et de vieillards. » Le Ménétrier donna une claque sur l'épaule de Dunk. « Ayez l'obligeance de vous pousser, ser Duncan. »

Dunk obtempéra. « Vous arrivez trop tard pour le repas, messer.

— Peu importe. Je sais où sont les cuisines de Beurpuits. Il reste encore du vin, j'espère ? » Le Ménétrier embaumait les oranges et les citrons, avec, par-dessous, un soupçon de quelque étrange épice d'Orient. La muscade, peut-être. Dunk n'aurait pu l'assurer. Que connaissait-il à la muscade ?

« Vos rodomontades sont inconvenantes, déclara ser Glendon au Ménétrier.

— Vraiment ? En ce cas, je me dois de vous demander pardon, messer. Jamais je ne voudrais offenser un fils de Boulenfeu. »

La déclaration prit le jeune homme à contrepied. « Vous savez qui je suis ?

— Le fils de votre père, j'espère.

— Regardez, coupa ser Kyle le Chat. La tourte de mariage. »

Six marmitons la poussaient par les portes, sur un large chariot à roulettes. La tourte était brune, croustillante et immense, et des bruits montaient de l'intérieur, pépiements, caquètements et chocs. Lord et lady Beurpuits descendirent de l'estrade pour aller à sa rencontre, épée en main. Quand ils la fendirent, une cinquantaine d'oiseaux en jaillirent pour s'envoler dans toute la salle. Dans d'autres banquets de noces auxquels Dunk avait assisté, les tourtes étaient farcies de colombes ou d'oiseaux chanteurs, mais dans celle-ci se pressaient des geais et des alouettes, des pigeons et des colombes, des merles et des rossignols, de petits moineaux bruns et un grand papegai rouge. « Vingt et une sortes d'oiseaux, commenta ser Kyle.

— Vingt et une sortes de fientes d'oiseaux, amenda ser Maynard.

— Votre âme est dénuée de poésie, messer.

— Votre épaule est maculée de fiente.

— C'est la façon traditionnelle de farcir une tourte », expliqua ser Kyle avec un reniflement dédaigneux, tout en nettoyant sa tunique. « La tourte symbolise le mariage, et un mariage véritable renferme bien des choses différentes – la joie et le chagrin, la douleur et le plaisir, l'amour, le désir et la loyauté. Il convient donc d'y placer des oiseaux de maintes espèces. Nul homme ne sait vraiment ce que son épouse lui apportera.

— Son connin, rétorqua Prünh, sinon où serait l'intérêt ? »

Dunk s'écarta de la table. « J'ai besoin d'aller prendre l'air. » À vrai dire, il avait besoin d'aller pisser, mais en si bonne compagnie que celle-ci, il était plus courtois de parler d'air. « Je vous prie de m'excuser.

— Hâtez-vous de revenir, messer, lui lança le Ménétrier. Il y a encore des bateleurs qui vont se produire, et il ne faudrait pas que vous manquiez le coucher. »

Dehors, le vent de la nuit lécha Dunk comme la langue d'un énorme animal. La terre battue de la cour semblait se mouvoir sous ses pas… ou peut-être était-ce qu'il tanguait.

On avait installé les lices au centre de la cour extérieure. Sous les murailles, on avait érigé une tribune à trois niveaux de gradins en bois, afin que lord Beurpuits et ses invités de haute naissance fussent bien ombragés sur leurs sièges garnis de coussins. Aux deux extrémités des lices se dressaient des tentes où les chevaliers endosseraient leur armure, ainsi que des râteliers de lances à leur disposition. Quand le vent souleva un instant les bannières, Dunk sentit l'odeur de la chaux sur la palissade des lices. Il partit en quête de la cour intérieure. Il devait dénicher l'Œuf et envoyer le garçonnet voir le maître des jeux afin de l'inscrire sur les listes. Cette tâche incombait à l'écuyer.

Toutefois, Murs-Blancs lui était inconnu et, sans savoir comment, Dunk s'en fut dans une mauvaise direction. Il se retrouva devant les chenils, où les molosses, flairant sa présence, se mirent à aboyer et à hurler. *Ils veulent m'arracher la gorge*, se dit-il, *à moins que ce ne soit le chapon sous ma cape qui leur fasse envie.* Il rebroussa chemin, en longeant le septuaire. Une femme passa en courant, riant à en perdre le souffle, un chevalier chauve lancé à ses trousses. L'homme ne cessait de trébucher, si bien que la femme finit par revenir pour l'aider à se relever. *Je devrais me glisser dans le septuaire et demander aux Sept de faire de ce chevalier mon premier adversaire*, songea Dunk. Mais cela aurait été une impiété. *Ce dont j'ai vraiment besoin, c'est d'un lieu d'aisances, et pas d'une prière.* Il y avait des buissons à proximité, sous une volée de degrés en pierre pâle. *Cela fera l'affaire.* Il se fraya un passage derrière eux et se délaça les braies. Sa vessie semblait près d'éclater. Il pissa interminablement.

Quelque part au-dessus, une porte s'ouvrit. Dunk entendit des pas sur les marches, le frottement des bottes sur la pierre. « … un banquet de mendiants, que vous nous offrez. Sans Aigracier…

— Qu'Aigracier aille se faire foutre, insista une voix familière. On ne peut pas se fier à un bâtard, pas même à lui. Quelques victoires sauront lui faire promptement traverser la mer. »

Lord Peake. Dunk retint son souffle… et son urine.

« Les victoires, on en parle plus facilement qu'on ne les remporte. » Celui qui s'exprimait avait une voix plus grave que Peake, un grondement de basse avec une nuance de colère. « Le vieux Sang-de-Lait s'attendait à ce que le petit l'ait avec lui, et il en ira de même pour tous les autres. Les discours habiles et le charme ne peuvent pas remplacer ça.

— Un dragon le pourrait. Le prince assure que l'œuf éclora. Il l'a rêvé, tout comme il a un jour rêvé de la mort de ses frères. Un dragon vivant nous gagnera toutes les épées que nous pourrions vouloir.

— Un dragon est une chose, un rêve en est une autre. Je vous garantis que Freuxsanglant ne rêve pas, lui. Il nous faut un guerrier, pas un rêveur. Ce garçon est-il bien le fils de son père ?

— Contentez-vous donc de jouer votre rôle comme promis, et laissez-moi m'en inquiéter. Une fois que nous aurons l'or de Beurpuits et les épées de la maison Frey, Harrenhal suivra, puis les Bracken. Otho sait qu'il ne peut espérer tenir... »

Les voix s'amenuisaient avec l'éloignement des discoureurs. L'urine de Dunk se remit à couler. Il secoua sa queue une fois, et se relaça. « Le fils de son père », marmonna-t-il. *De qui parlaient-ils ? Du fils de Boulenfeu ?*

Le temps qu'il émerge de sous l'escalier, les deux seigneurs avaient traversé une bonne partie de la cour. Il faillit les héler, pour les obliger à montrer leur visage, mais se ravisa. Il était seul et sans armes, et à moitié ivre par-dessus le marché. *Peut-être plus qu'à moitié.* Il resta planté là un moment, sourcils froncés, puis il reprit le chemin de la salle.

À l'intérieur, on avait servi le dernier plat et les attractions avaient commencé. Une des filles de lord Frey jouait « Deux cœurs qui battent comme un seul » sur la harpe bardique, très mal. Quelques jongleurs s'échangèrent un moment des torches embrasées, puis des bateleurs exécutèrent des pirouettes dans les airs. Le neveu de lord Frey entonna « La Belle et l'Ours » tandis que ser Kirby Pimm battait la mesure sur la table, avec une cuillère en bois. D'autres se joignirent à lui, jusqu'à ce que la salle tout entière beugle : « *Un ours ! Un ours ! Tout noir et brun, tout couvert de poils !* » Lord Caswell perdit connaissance à table, le visage dans une flaque de vin, et lady Vouyvère fondit en larmes, sans que nul sût avec certitude la cause de son désarroi.

Tout du long, le vin continua de couler. Les riches rouges de La Treille cédèrent la place à des crus locaux, du moins le Ménétrier l'affirma-t-il ; à vrai dire, Dunk ne voyait pas de différence. Il y eut également de l'hypocras, il lui fallut en goûter une coupe. *Un an pourrait passer avant que j'en aie une autre.* Les autres chevaliers errants, tous vaillants gaillards, avaient commencé à discourir des femmes qu'ils avaient connues. Dunk se surprit à se demander où se trouvait Tanselle, ce soir-là. Il *savait* où était lady Rohanne – au lit, au castel de Froide-Douve, le vieux ser Eustace à son côté, ronflant dans sa moustache –, aussi essaya-t-il de ne pas penser à elle. *Songent-elles jamais à moi ?* s'interrogea-t-il.

Ses idées mélancoliques furent interrompues sans ménagement par une troupe de nains grimés qui jaillirent du ventre d'un cochon de bois à roulettes, pour se lancer autour des tables à la poursuite du fou de lord Beurpuits, et le frapper avec une vessie de porc gonflée qui produisait des bruits obscènes chaque fois qu'un coup portait. C'était le spectacle le plus cocasse que Dunk ait vu depuis des années, et il s'esclaffa avec tous les autres. Leurs facéties séduisirent tant le fils de lord Frey qu'il y prit part, cognant les invités de la noce avec une vessie empruntée à un nain. Cet enfant avait le rire le plus agaçant que Dunk ait jamais entendu, un rire aigu et perçant, en hoquet, qui lui donnait envie de coucher le gamin en travers de son genou, ou de le jeter au fond d'un puits. *S'il me frappe avec sa vessie, je ne réponds de rien.*

« Voilà le poupon qui a conclu le mariage, commenta ser Maynard alors que le morveux sans menton passait en hurlant.

— Comment cela ? » Le Ménétrier tendit une coupe vide, et un serveur qui s'approchait la remplit de vin.

Ser Maynard jeta un coup d'œil vers l'estrade, où la mariée offrait des cerises à manger à son mari. « Sa Seigneurie ne sera pas le premier à beurrer ce biscuit. Son épouse a été déflorée aux Jumeaux par un marmiton, à ce qu'on raconte. Elle se glissait dans les cuisines pour le rencontrer. Hélas, une nuit, son petit frère s'est faufilé à sa suite. Lorsqu'il les a vus en train de faire la bête à deux dos, il a poussé un glapissement, et les cuisiniers et les gardes ont accouru, pour trouver Madame et son fouille-au-pot en train de copuler sur la dalle en marbre où la cuisinière étale la pâte, tous deux nus comme au jour de leur naissance et farinés de pied en cap. »

Ça ne peut pas être vrai, se dit Dunk. Lord Beurpuits avait de vastes domaines et de pleins pots d'or jaune. Pourquoi irait-il épouser une fille flétrie par un casserolier, et céderait-il son œuf de dragon pour marquer leur union ? Les Frey du Pont n'étaient pas plus nobles que les Beurpuits. Ils possédaient un pont plutôt que des vaches, voilà l'unique différence. *Les seigneurs. Qui saura jamais les comprendre ?* Dunk croqua des noix et songea à la discussion qu'il avait surprise pendant qu'il pissait. *Dunk le poivrot, qu'imagines-tu avoir entendu ?* Il but une nouvelle coupe d'hypocras, car le goût de la première lui avait plu. Puis il cala sa tête sur ses bras croisés et ferma les yeux, juste un instant, pour les reposer de la fumée.

Lorsqu'il les rouvrit, la moitié des invités de la noce, debout, braillaient : « Au lit ! Au lit ! » Ils produisaient un tel vacarme qu'ils avaient tiré Dunk d'un rêve agréable où intervenaient Tanselle la Dégingandée et la Veuve rouge. « Au lit ! Au lit ! » réclamaient les cris. Dunk se redressa et se frotta les yeux.

Ser Franklyn Frey tenait la mariée dans ses bras, et il la portait en remontant l'allée, dans une bousculade d'hommes et de jeunes garçons. Au haut bout de la table, les dames avaient encerclé lord Beurpuits. Lady Vouyvère, remise de son chagrin, essayait de haler Sa Seigneurie hors de son trône, tandis qu'une de ses filles lui délaçait les bottes et qu'une Frey lui ôtait sa tunique. Beurpuits se débattait contre elles sans effet, en riant. Il était soûl, constata Dunk, et ser Franklyn était passablement plus soûl encore... à tel point qu'il faillit laisser choir la mariée. Avant que Dunk ait vraiment compris ce qui se passait, Jehan le Ménétrier l'avait mis debout de force. « Par ici ! s'écria-t-il. Que le géant la porte ! »

Il se retrouva subitement en train de gravir l'escalier d'une tour, avec la mariée qui lui gigotait entre les bras. Savoir comment il arrivait à tenir debout le dépassait. La fille refusait de rester tranquille, et les hommes les cernaient de toutes parts, lançant des saillies grivoises qui conseillaient de bien la fariner et de la pétrir avec soin, tout en lui retirant ses vêtements. Les nains se mirent également de la partie. Ils grouillaient dans les jambes de Dunk, criant, riant et lui battant les mollets à coups de vessies. Il avait bien du mal à ne pas trébucher sur eux.

Dunk n'avait aucune idée de l'emplacement de la chambre de lord Beurpuits, mais les autres hommes le poussèrent et l'aiguillonnèrent jusqu'à ce qu'il y parvienne. La mariée, désormais écarlate, était hilare et pratiquement nue, à l'exception d'un bas sur sa jambe gauche, qui avait on ne sait comment survécu à l'ascension. Dunk était pivoine lui aussi, et pas à cause de ses efforts. Son excitation aurait été évidente si quiconque lui avait prêté attention, mais, par bonheur, tous les regards se portaient sur la mariée. Lady Beurpuits n'avait rien de commun avec Tanselle, mais la présence de l'une, qui se tortillait à demi nue dans ses bras, avait rappelé l'autre à Dunk. *Tanselle la Dégingandée, la trop grande, voilà comment on l'appelait, mais pour moi, elle n'était pas trop grande.* Il se demanda s'il la retrouverait un jour. Certaines nuits, il avait l'impression de l'avoir rêvée.

Mais non, lourdaud, tu as simplement rêvé qu'elle t'aimait.

La chambre à coucher de lord Beurpuits était vaste et luxueuse, une fois qu'il l'eut découverte. Des tapis de Myr en recouvraient les parquets, cent bougies parfumées brûlaient dans les recoins et les alcôves, et une armure de plates rehaussée d'or et de joyaux montait la garde près de la porte. La pièce disposait même de son propre lieu d'aisances installé dans une petite enclave de pierre pratiquée dans le mur extérieur.

Lorsque Dunk laissa enfin choir la mariée sur son lit de noces, un nain bondit à ses côtés et lui agrippa un sein pour la peloter un brin. La jeune femme poussa un cri perçant, les hommes éclatèrent de rire et Dunk saisit le nain au collet et, malgré ses coups de pied, l'écarta de force de Madame. Il transportait le petit homme à travers la pièce pour le flanquer dehors, quand il vit l'œuf de dragon.

Lord Beurpuits l'avait placé sur un coussin de velours noir coiffant un piédestal de marbre. Il était beaucoup plus gros qu'un œuf de poule, quoique moins que Dunk ne l'avait imaginé. De fines écailles rouges couvraient sa surface, brillant d'un éclat de pierres précieuses à la lumière des lampes et des chandelles. Dunk abandonna le nain et prit l'œuf, rien que pour le soupeser un instant. Il était plus lourd qu'il ne s'y attendait. *On pourrait enfoncer le crâne d'un homme avec ça, sans même briser la coquille.* Les écailles étaient lisses sous ses doigts, et le rouge profond et sombre semblait rutiler, tandis qu'il tournait l'œuf entre ses mains. *Le sang et les flammes*, se fit-il réflexion, mais il y avait également des paillettes dorées là-dedans, et des spirales d'un noir de minuit.

« Hé là, vous ! Qu'est-ce que vous croyez que vous faites, messer ? » Un chevalier inconnu de lui le foudroyait du regard, un homme massif avec une barbe d'un noir de charbon et des boutons, mais ce fut la voix de l'homme qui lui fit cligner les yeux ; une voix grave, lourde de colère. *C'était lui, celui qui accompagnait Peake*, comprit Dunk, alors que l'homme lui ordonnait : « Posez-moi ça. Je vous serais reconnaissant de ne pas tripoter de vos pattes grasses les trésors de Sa Seigneurie, sinon, par les Sept, vous allez le regretter. »

L'autre chevalier était loin d'être aussi éméché que Dunk, aussi parut-il sage à ce dernier d'obtempérer. Il redéposa l'œuf sur son coussin, avec grand soin, et s'essuya les doigts sur sa manche. « Je n'avais pas de mauvaises intentions, messer. » *Dunk le balourd, lourd comme un vrai rempart.* Puis il dépassa l'homme à la barbe noire et prit la porte.

Il y avait du vacarme dans l'escalier, des cris joyeux et des rires féminins. Les femmes apportaient lord Beurpuits à son épouse. Dunk n'avait aucune envie de les croiser, aussi monta-t-il plutôt que de descendre, et se retrouva-t-il sur le toit de la tour sous les étoiles, avec le castel pâle luisant au clair de lune tout autour de lui.

Le vin lui faisait tourner la tête, et il s'appuya à un parapet. *Est-ce que je vais vomir ?* Pourquoi s'était-il mêlé de toucher l'œuf de dragon ? Il se remémora le spectacle de marionnettes de Tanselle, et le dragon de bois qui avait déclenché tous les problèmes là-bas, à Cendregué. Dunk se sentit coupable, à ce souvenir, comme à chaque fois. *Trois braves hommes morts, pour sauver le pied d'un chevalier errant.* Ça n'avait aucun sens, ça n'en avait jamais eu. *Tires-en la leçon, benêt. Il ne sied pas aux gens de ton espèce de fricoter avec des dragons ou leurs œufs.*

« On dirait presque qu'il est fait de neige. »

Dunk se retourna. Jehan le Ménétrier se tenait derrière lui, souriant dans sa soie et son drap d'or.

« Qu'est-ce qui est fait de neige ?

— Le château. Toutes ces pierres blanches au clair de lune. Êtes-vous jamais allé au nord du Neck, ser Duncan ? On me dit que, là-bas, il neige même en été. Avez-vous jamais vu le Mur ?

— Non, m'sire. » *Qu'est-ce qu'il me raconte, avec son Mur ?* « C'est là que nous allons, l'Œuf et moi. Vers le nord, à Winterfell.

— Que ne puis-je me joindre à vous. Vous pourriez me montrer le chemin.

— Le chemin ? » Dunk fronça les sourcils. « C'est tout au bout de la route Royale. Si vous restez sur la route et que vous continuez vers le nord sans vous arrêter, vous ne pouvez pas le manquer. »

Le Ménétrier rit. « Non, sans doute pas... Quoique... Vous seriez surpris de ce que certains hommes peuvent manquer. » Il alla au parapet et contempla le château. « On raconte que ces Nordiens sont un peuple sauvage, et que leurs bois sont remplis de loups.

— M'sire ? Pourquoi êtes-vous monté ici ?

— Alyn était à ma recherche, et je ne tenais pas à ce qu'on me trouve. Il devient ennuyeux quand il boit, Alyn. Je vous ai vu vous éclipser de cette chambre des horreurs, et je me suis faufilé à votre suite. J'ai trop bu de vin, je vous le concède, mais pas assez pour affronter un Beurpuits nu. » Il adressa à Dunk un sourire énigmatique. « J'ai rêvé de vous, ser Duncan. Avant même que de vous rencontrer. Quand je vous ai vu sur la route, j'ai tout de suite reconnu votre visage. On aurait dit que nous étions amis de longue date. »

Dunk éprouva alors la plus étrange des sensations, comme s'il avait déjà vécu tout cela. *J'ai rêvé de vous, a-t-il dit. Mes rêves ne sont pas comme les vôtres, ser Duncan. Les miens révèlent la vérité.* « Vous avez *rêvé* de moi ? demanda-t-il d'une voix empâtée par le vin. Quel genre de rêve ?

— Ma foi, répondit le Ménétrier, j'ai rêvé que vous étiez tout de blanc vêtu, de pied en cap, avec un long manteau blanc qui flottait sur ces larges épaules. Que vous étiez Blanche Épée, messer, frère juré de la Garde Royale, le plus grand chevalier de toutes les Sept Couronnes, et que vous ne viviez que pour garder, servir et satisfaire votre roi. » Il posa une main sur l'épaule de Dunk. « Vous avez fait le même rêve, je le sais. »

Il l'avait fait, c'était la vérité. *La première fois que l'Ancien m'a laissé tenir son épée.* « Tous les gamins rêvent de servir dans la Garde Royale.

— Seuls sept d'entre eux en grandissant portent le manteau blanc, cependant. Vous plairait-il d'être l'un d'eux ?

— Moi ? » Dunk délogea d'un haussement d'épaule la main du nobliau, qui avait commencé à la lui pétrir. « Cela me plairait. Ou pas. » Les chevaliers de la Garde Royale servaient à vie, et juraient de ne point prendre femme, ni de détenir des terres. *Je pourrais retrouver Tanselle, un jour. Pourquoi n'aurais-je pas une épouse, et des fils ?* « Peu importent mes rêves. Seul un roi peut adouber un chevalier de la Garde Royale.

— Cela signifie que je vais devoir m'emparer du trône, je suppose, en ce cas. J'aimerais nettement mieux vous enseigner la vielle.

— Vous êtes ivre. » *Et le corbeau un jour accusa la corneille d'être noire.*

« Merveilleusement ivre. Le vin rend toutes les choses possibles, ser Duncan. Vous ressembleriez à un dieu, en blanc, ce me semble, mais si la couleur ne vous sied pas, peut-être préféreriez-vous devenir un seigneur ? »

Duncan lui rit au nez. « Non, je préférerais encore me voir pousser de grandes ailes bleues pour m'envoler. L'un est aussi probable que l'autre.

— Vous me raillez, à présent. Jamais un authentique chevalier ne raillerait son roi. » Le Ménétrier paraissait vexé. « J'espère que vous accorderez plus de foi à ce que je vous dis, quand vous verrez le dragon éclore.

— Un dragon va éclore ? Un dragon *vivant* ? Quoi, ici ?

— J'en ai rêvé. Ce pâle château blanc, un dragon jaillissant d'un œuf, j'ai rêvé tout cela, exactement comme j'ai un jour rêvé de mes frères couchés morts. Ils avaient douze ans et je n'en avais que sept, aussi ont-ils ri de moi, et ils ont péri. J'en ai vingt-deux, à présent, et j'ai foi en mes rêves. »

Dunk se remémorait un autre tournoi, se souvenant comment il avait marché sous les douces pluies de printemps avec un autre petit prince. *J'ai rêvé de vous et d'un dragon mort*, lui avait dit Daeron, frère de l'Œuf. *Une bête gigantesque, avec des ailes si grandes qu'elles auraient pu couvrir toute cette plaine. Il était tombé sur vous mais vous étiez vivant, et le dragon était mort.* Et il l'était en effet, pauvre Baelor. Les rêves étaient un terrain trop plein de duplicité pour y bâtir. « Comme vous dites, m'sire, répondit-il au Ménétrier. Je vous prie de m'excuser.

— Mais où allez-vous, messer ?

— Dans mon lit, pour dormir. Je suis ivre comme un chien.

— Soyez mon chien, messer. La nuit regorge de promesses. Nous pourrons hurler de concert et réveiller même les dieux !

— Mais que voulez-vous de moi ?

— Votre épée. Je voudrais vous avoir à moi, et vous donner un rang élevé. Mes rêves ne mentent pas, ser Duncan. Vous aurez ce manteau blanc, comme je dois remporter l'œuf de dragon. *Je le dois*, mes rêves me l'ont clairement montré. Peut-être que l'œuf éclora, à moins que… »

Derrière eux, une porte s'ouvrit avec un violent claquement. « *Il est là, messire.* » Une paire de gens d'armes émergea sur le toit. Lord Gormon Peake se trouvait juste derrière eux.

« *Gormy*, commenta le Ménétrier sur un ton traînant. Mais que faites-vous donc dans ma chambre à coucher, messire ?

— C'est un toit, messer, et vous avez abusé du vin. » Lord Gormon fit un geste rapide, et les gardes s'avancèrent. « Permettez-nous de vous aider à regagner ce lit. Vous joutez demain, souvenez-vous, je vous prie. Kirby Pimm peut s'avérer un ennemi redoutable.

— J'avais espéré jouter avec le brave ser Duncan, ici présent. »

Peake jeta à Dunk un regard sans indulgence. « Plus tard, peut-être. Pour votre première joute, vous avez tiré ser Kirby Pimm.

— Alors, Pimm devra tomber ! Comme tous les autres ! Le chevalier mystère prévaut face à tous les défis, et l'émerveillement danse sur son passage. » Un garde saisit le Ménétrier par le bras. « Ser Duncan, il semble que nous devions nous séparer », lança-t-il tandis qu'on l'aidait à descendre les marches.

Seul lord Gormon demeura sur le toit avec Dunk. « Chevalier errant, gronda-t-il, votre mère ne vous a-t-elle jamais appris à ne pas mettre la main dans la gueule du dragon ?

— Je n'ai jamais connu ma mère, m'sire.

— Cela explique bien des choses. Que vous a-t-il promis ?

— Un titre de lord. Un manteau blanc. De grandes ailes bleues.

— Voici ma promesse à moi : trois pieds d'acier froid dans le ventre si vous soufflez un mot de ce qui vient de se passer. »

Dunk secoua sa tête pour éclaircir ses idées. Cela ne parut pas efficace. Il se plia au niveau de la taille, et rendit.

Un peu de vomi éclaboussa les bottes de Peake. Le seigneur jura. « Les chevaliers errants, s'exclama-t-il avec dégoût. Vous n'avez pas votre place ici, aucun chevalier véritable ne serait assez discourtois pour se présenter sans invitation, mais vous autres, créatures des bords de route…

— … ne sommes les bienvenus nulle part et nous présentons partout, m'sire. » Le vin donnait de l'audace à Dunk, sinon il aurait tenu sa langue. Il s'essuya la bouche du revers de la main.

« Essayez de retenir ce que je vous ai dit, messer. Il vous en cuira, sinon. » Lord Peake secoua sa botte pour en chasser le vomi. Puis il disparut. Dunk s'appuya de nouveau au parapet. Il se demanda qui était le plus fou des deux, lord Gormon ou le Ménétrier.

Le temps qu'il retrouve le chemin de la grand-salle, il ne restait, de ses compagnons, que Maynard Prünh. « Avait-elle de la farine sur les nichons quand vous lui avez ôté son petit linge ? » voulut-il savoir.

Dunk secoua la tête, se versa une nouvelle coupe de vin, la goûta et décida qu'il avait assez bu.

Les écuyers de Beurpuits avaient préparé, pour les seigneurs et les dames, des chambres dans le donjon, et pour leurs suites, des couches dans les dépendances. Le reste des hôtes avait le choix entre une paillasse dans la cave, ou un lopin de terre sous le rempart ouest où dresser leur pavillon. La modeste tente en toile de voile que Dunk avait acquise à Pierremoûtier n'était pas un pavillon, elle le protégeait du soleil et de la pluie. Certains de ses voisins étaient encore éveillés, les parois de soie de leurs pavillons brillant dans la nuit comme des lanternes colorées. Des rires émergeaient d'un pavillon bleu couvert de tournesols, et des bruits amoureux d'un autre, rayé de blanc et de mauve. L'Œuf avait installé leur tente un peu à l'écart des autres. Mestre et les deux chevaux étaient entravés à proximité, et les armes et l'armure de Dunk avaient été empilées avec soin contre les murailles du château. Lorsqu'il se glissa à croupetons sous la tente, il trouva son écuyer assis en tailleur auprès d'une chandelle, la tête illuminée tandis qu'il le regardait par-dessus un livre.

« Tu vas te crever les yeux à lire des livres à la chandelle. » La lecture demeurait un mystère pour Dunk, bien que le jeune homme ait tenté de la lui enseigner.

« J'ai besoin d'une chandelle pour distinguer les mots, messer.

— Tu veux une taloche sur l'oreille ? Et quel est donc ce livre ? » Dunk voyait sur la page des couleurs vives, de petits écus peints tapis au sein des lettres.

« Un catalogue d'armoiries, ser.

— Tu cherches le Ménétrier ? Tu ne le trouveras pas. On ne range pas les chevaliers errants dans ces catalogues, rien que les seigneurs et les champions.

— Ce n'est pas lui que je cherchais. J'ai vu d'autres blasons dans la cour... Il y a ici lord Sunderland, messer. Il arbore les têtes de trois femmes pâles, sur champ ondé vert et bleu.

— Un Sœurois ? En vérité ? » Les Trois Sœurs étaient des îles de la Morsure. Dunk avait entendu des septons affirmer qu'elles étaient des antres de péché et de cupidité. Sortonne était le plus notoire repaire de contrebandiers de tout Westeros. « Il vient de loin. Il doit être parent de la nouvelle épouse de Beurpuits.

— Non, messer.

— Alors, il est venu pour le banquet. On consomme du poisson, sur les Trois Sœurs, non ? On se lasse du poisson. As-tu assez mangé ? Je t'ai rapporté une moitié de chapon et du fromage. » Dunk farfouilla dans la poche de sa cape.

« Ils nous ont donné des côtelettes, messer. » L'Œuf avait le nez plongé dans l'ouvrage. « Lord Sunderland s'est battu pour le Dragon Noir, messer.

— Comme le vieux ser Eustace. Ce n'était pas un mauvais bougre, si ?

— Non, messer, mais…

— J'ai vu l'œuf de dragon. » Dunk rangea la nourriture avec leur pain sec et le bœuf salé. « Il était rouge, dans l'ensemble. Est-ce que lord Freuxsanglant possède un œuf de dragon, lui aussi ? »

L'Œuf abaissa son bouquin. « Pourquoi en aurait-il un ? Il est de naissance vile.

— Né bâtard, et non de naissance vile. » Freuxsanglant était né du mauvais côté des draps, mais il était noble par ses deux ascendants. Dunk allait parler à l'Œuf des hommes dont il avait surpris la conversation lorsqu'il remarqua son visage. « Qu'est-il arrivé à ta lèvre ?

— Une bagarre, messer.

— Montre-moi ça.

— Ça a à peine saigné. J'y ai tapoté un peu de vin.

— Avec qui t'es-tu battu ?

— D'autres écuyers. Ils racontaient…

— Peu importe ce qu'ils racontaient. Qu'est-ce que je t'avais dit ?

— De tenir ma langue et de ne pas causer d'esclandre. » Le jeune garçon toucha sa lèvre fendue. « Mais ils ont traité mon père de *fratricide.* »

C'est le cas, petit, même si je ne crois pas qu'il en ait eu l'intention. Dunk avait cent fois répété à l'Œuf de ne pas prendre de telles paroles à cœur. *Tu connais la vérité. Que cela te suffise.* Ils avaient déjà entendu de tels propos, dans des gargotes et des tavernes sordides, et autour des feux de camp, dans les bois. Tout le royaume savait comment la masse du prince Maekar avait occis son frère Baelor Briselance au champ de Cendregué. Les rumeurs de conspiration étaient inévitables. « S'ils savaient que le prince Maekar est ton père, ils n'auraient jamais dit de telles choses. » *Derrière ton dos, certes, mais jamais en face.* « Et *toi*, qu'as-tu répondu à ces autres écuyers, au lieu de tenir ta langue ? »

L'Œuf parut penaud. « Que la mort du prince Baelor était un simple accident. Mais quand j'ai ajouté que le prince Maekar chérissait son frère Baelor, l'écuyer de ser Addam a répliqué qu'il l'avait chéri jusqu'à la mort, et celui de ser Mallor qu'il avait l'intention de chérir son frère Aerys de la même façon. C'est là que je l'ai frappé. Je lui ai flanqué un bon coup.

— C'est moi qui devrais t'en flanquer un, de bon coup. Une taloche qui te ferait l'oreille enflée, pour aller avec ta lèvre. Ton père agirait de même, s'il était ici. Crois-tu que le prince Maekar a besoin qu'un petit garçon le défende ? Qu'est-ce qu'il t'a dit, lorsqu'il t'a envoyé avec moi ?

— De fidèlement vous servir comme écuyer, de ne rechigner à aucune tâche ni aucune difficulté.

— Et quoi d'autre ?

— D'obéir aux lois du roi, aux règles de la chevalerie, et à vous.

— Et quoi encore ?

— De garder mes cheveux rasés ou teints, répondit le garçonnet avec une réticence visible, et de ne révéler à personne mon vrai nom. »

Dunk hocha la tête. « Combien de vin avait bu ce garçon ?

— Il buvait de la bière d'orge.

— Tu vois ? C'était la bière qui parlait. Les mots sont du vent, Œuf. Laisse leur souffle passer.

— *Certaines* paroles sont du vent. » On ne pouvait nier que le gamin était têtu. « D'autres sont de la trahison. C'est un tournoi de traîtres, messer.

— Quoi, tout le monde ? » Dunk secoua la tête. « Si c'était vrai, cela remonte à longtemps. Le Dragon Noir est mort, et ceux qui ont lutté à ses côtés ont fui ou ont reçu un pardon. Et ce n'est pas vrai. Les fils de lord Beurpuits ont combattu dans les deux camps.

— Cela fait de lui la *moitié* d'un traître, messer.

— Ça date de seize ans. » La douce brume d'ébriété de Dunk s'était dissipée. Il se sentait furieux, et presque sobre. « L'intendant de lord Beurpuits est le maître des jeux, un certain Cosgrove. Va le trouver et inscris mon nom pour les joutes. Non, attends… tiens mon nom caché. » Avec tant de seigneurs présents, l'un d'entre eux risquait de se souvenir de ser Duncan le Grand, du champ de Cendregué. « Inscris-moi comme le Chevalier au Gibet. » Le petit peuple adorait qu'un chevalier mystère apparaisse soudain dans un tournoi.

L'Œuf se triturait sa lèvre fendue. « Le Chevalier au Gibet, messer ?

— À cause de l'écu.

— Certes, mais…

— Va et fais ce que je te dis. Tu as assez lu pour cette nuit. » Dunk moucha la chandelle entre son pouce et l'index.

Le soleil se leva, cuisant et rude, implacable. Des ondes de chaleur montaient en vibrant des pierres blanches du château. L'air sentait la terre surchauffée et l'herbe arrachée, et aucun souffle de vent ne bougeait les bannières qui pendaient au sommet du donjon et de la porte, vert, blanc et jaune.

Tonnerre ne tenait pas en place, d'une façon que Dunk avait rarement vue. L'étalon secouait la tête d'un côté et de l'autre tandis que l'Œuf resserrait la sangle de sa selle. Il découvrit même ses grosses dents carrées à l'adresse du jeune garçon. *Qu'il fait chaud*, se dit Dunk, *trop chaud pour l'homme ou la monture.* Un palefroi n'a pas un tempérament placide, même dans les meilleures circonstances. *La Mère elle-même serait de mauvaise humeur par une telle chaleur.*

Au centre de la cour, les jouteurs entamèrent un nouvel assaut. Ser Harbert chevauchait un coursier doré bardé de noir et décoré des serpents rouge et blanc de la maison Paege, ser Franklyn un alezan dont le caparaçon de soie grise affichait les tours jumelles de Frey. Quand ils se rencontrèrent, la lance rouge et blanc se rompit tout net en deux, et la bleue explosa en échardes, mais aucun des deux hommes ne perdit son assiette. Une clameur monta de la tribune des spectateurs et des gardes sur les remparts du château, mais elle fut brève, maigre et vide.

Il fait trop chaud pour s'enthousiasmer. Dunk épongea la sueur à son front. *Il fait trop chaud pour jouter.* Sa tête battait comme un tambour. *Que je gagne cette joute et une autre, et je m'estimerai satisfait.*

Les chevaliers firent tourner leurs chevaux en bout de lices et jetèrent les restes fracassés de leurs lances, la quatrième paire qu'ils rompaient. *Trois de trop.* Dunk avait retardé autant que possible le moment de revêtir son armure, et pourtant il sentait déjà son petit linge coller à sa peau, sous son acier. *Il y a pire que d'être trempé de sueur*, se dit-il, se souvenant du combat sur la *Dame Blanche*, lorsque les Fer-nés avaient déferlé par-dessus le bastingage. Il avait fini cette journée-là trempé de sang.

Des lances neuves en main, Paege et Frey éperonnèrent une nouvelle fois leurs montures. Des mottes de terre sèche fusèrent en arrière sous le sabot de leurs chevaux à chaque foulée. Le craquement des lances qui se brisaient fit grimacer Dunk. *Trop bu de vin hier au soir, et trop mangé.* Il avait un vague souvenir d'avoir porté la mariée en haut des marches, d'avoir rencontré Jehan le Ménétrier et lord Peake sur un toit. *Qu'est-ce que je fichais sur un toit ?* On avait discuté dragons, se souvenait-il, ou œufs de dragon, ou autre chose, mais...

Un bruit interrompit sa rêverie, mi-rugissement, mi-gémissement. Dunk vit le cheval doré trotter sans cavalier jusqu'au bout des lices, tandis que ser Harbert Paege roulait mollement sur le sol. *Encore deux avant mon tour.* Plus tôt il aurait désarçonné ser Uthor, et plus tôt il pourrait retirer cette armure, boire quelque chose de frais et se reposer. Il disposerait d'une heure au moins, avant qu'on ne l'appelle de nouveau.

Le dodu héraut de lord Beurpuits grimpa jusqu'au sommet de la tribune des spectateurs pour convier la paire de jouteurs suivants. « Ser Argrave le Belliqueux, clama-t-il, un chevalier de Nonnains, au service de lord Beurpuits de Murs-Blancs. Ser Glendon Flowers, chevalier de la Feuille de Rose. Avancez et démontrez votre valeur. » Une rafale de rires courut à travers la tribune.

Ser Argrave était un homme mince, sec, un chevalier de maison expérimenté à l'armure grise cabossée, chevauchant une monture sans barde. Dunk avait déjà rencontré ses pareils ; de tels hommes étaient coriaces comme de vieilles racines, et connaissaient leur affaire. Son adversaire était le jeune ser Glendon, monté sur une triste rosse et protégé d'un haubert en mailles lourdes et d'un heaume de fer, ouvert. À son bras, son écu arborait l'ardent emblème de son père. *Il a besoin d'un pectoral et d'un casque convenables*, songea Dunk. *Un coup à la tête ou au torse pourrait le tuer, vêtu de la sorte.*

Ser Glendon était visiblement furieux de la présentation qu'on avait faite de lui. Il fit tourner sa monture en un cercle colérique et s'écria : « Je suis Glendon *Boule*, et non Glendon Flowers. Tu te moques de moi à tes risques et périls, héraut. Je te préviens, j'ai du sang de héros. » Le héraut ne daigna pas répondre, mais de nouveaux rires saluèrent les protestations du jeune chevalier. « Pourquoi est-ce qu'ils rient de lui ? s'interrogea Dunk à voix haute. Ce serait donc un bâtard ? » On donnait le nom de *Flowers* aux bâtards nés de nobles parents, dans le Bief. « Et qu'est-ce que c'est que cette histoire de Feuille de Rose ?

— Je pourrais aller me renseigner, proposa l'Œuf.

— Non. Ça ne nous regarde pas. Est-ce que tu as mon casque ? » Ser Argrave et ser Glendon abaissèrent leurs lances devant lord et lady Beurpuits. Dunk vit Beurpuits se pencher pour chuchoter quelque chose à l'oreille de son épouse. La jeune femme se mit à pouffer.

« Oui, messer. » L'Œuf avait coiffé son chapeau informe, pour protéger ses yeux et abriter du soleil son crâne rasé. Dunk aimait plaisanter le garçonnet sur ce couvre-chef, mais en cet instant, il aurait aimé en porter un identique. Mieux valait un chapeau de paille que de fer, sous ce soleil. Il repoussa ses cheveux qui lui tombaient dans les yeux, ajusta son casque en place à deux mains, et le fixa à son gorgerin. La doublure puait la vieille sueur, et il sentait peser tout ce fer sur son cou et ses épaules. Sa tête lui palpitait, à cause du vin de la veille au soir.

« Messer, intervint l'Œuf, il n'est pas trop tard pour vous retirer. Si vous perdez Tonnerre et votre armure… »

Ma carrière de chevalier sera terminée. « Pourquoi perdrais-je ? » lui demanda Dunk. Ser Argrave et ser Glendon avaient rejoint les extrémités opposées des lices. « Ce n'est pas comme si j'affrontais l'Orage Moqueur. Y a-t-il ici un chevalier susceptible de me donner du fil à retordre ?

— Presque tous, messer.

— Je te devrai une taloche pour cette remarque. Ser Uthor est de dix ans mon aîné, et il a la moitié de ma taille. » Ser Argrave abaissa sa visière. Ser Glendon n'en avait pas à abaisser.

« Vous n'avez pas livré une joute depuis le champ de Cendregué, messer. »

L'insolent. « Je me suis entraîné. » Pas aussi régulièrement qu'il aurait dû, certes. Quand il le pouvait, il prenait son tour à la quintaine ou aux anneaux, lorsque de tels équipements étaient disponibles. Et parfois, il ordonnait à l'Œuf de grimper dans un arbre et d'y accrocher un bouclier ou une douve de barrique sous une branche bien placée pour y courir sus avec sa lance.

« Vous vous débrouillez mieux avec l'épée qu'avec la lance, déclara l'Œuf. Avec une hache ou une masse, il en est peu qui rivalisent avec votre force. »

Il y avait assez de vérité là-dedans pour n'en agacer Dunk que davantage. « Il n'y a pas de compétition avec les épées et les masses », fit-il observer, tandis que le fils de Boulenfeu et ser Argrave le Belliqueux lançaient leur charge. « Va me chercher mon écu. »

L'Œuf fit la moue et partit récupérer le bouclier.

À l'autre bout de la cour, la lance de ser Argrave heurta le bouclier de ser Glendon et dérapa, laissant une éraflure sur la comète. Mais le rochet de Boule trouva le centre du pectoral de son adversaire avec une telle force qu'il fit se rompre la sangle de la selle. Le chevalier et la selle roulèrent ensemble dans la poussière. Dunk fut impressionné à son corps défendant. *Le gamin joute presque aussi bien qu'il parle.* Il se demanda si cela suffirait à faire taire les rires autour de lui.

Une trompette résonna, assez fort pour faire grimacer Dunk. Une fois de plus le héraut grimpa à son poste. « Ser Joffrey de la maison Caswell, sire de Pont-l'Amer et défenseur des Gués. Ser Kyle, le Chat de Lande-aux-Brumes. Avancez et démontrez votre valeur. »

Ser Kyle portait une armure de bonne qualité, mais vieille et usée, couverte de bosselures et d'éraflures. « La Mère s'est révélée charitable avec moi, ser Duncan, annonça-t-il à Dunk et l'Œuf en se dirigeant vers les lices. On m'envoie affronter lord Caswell, précisément l'homme que je venais voir. »

S'il était sur les lices un homme qui se sentait plus mal que Dunk ce matin-là, ce devait être lord Caswell, qui avait bu au banquet jusqu'à perdre connaissance. « C'est merveille qu'il tienne même sur son cheval, après la nuit dernière, commenta Dunk. La victoire vous appartient, messer.

— Oh non. » Ser Kyle eut un sourire soyeux. « Le chat qui veut son bol de crème doit savoir quand ronronner et quand montrer les griffes, ser Duncan. À la moindre éraflure de la lance de Sa Seigneurie contre mon bouclier, je vais m'affaler au sol. Ensuite, en lui apportant mon cheval et mon armure, je complimenterai Sa Seigneurie sur l'ampleur de ses progrès depuis que je lui ai fabriqué sa première épée. Cela le fera se souvenir de moi et, avant la fin de ce jour, je serai à nouveau un homme de Caswell, et chevalier de Pont-l'Amer. »

Il n'y a aucun honneur à cela, faillit s'exclamer Dunk, mais il retint sa langue. Ser Kyle ne serait pas le premier chevalier buissonnier à troquer son honneur contre une douillette place au coin du feu. « Comme vous dites, marmonna-t-il. Que la fortune vous sourie. Ou pas, comme vous préférerez. »

Lord Joffrey Caswell était un fluet jeune homme de vingt ans, bien qu'il fît, on se devait de l'admettre, plus forte impression en armure qu'il n'en avait fait, la veille au soir, lorsqu'il gisait la trogne dans une flaque de vin. Sur son écu était peint un centaure jaune, bandant un grand arc. Le même centaure ornait le caparaçon en soie blanche de son cheval, et luisait en or jaune au sommet de son heaume. *Un homme qui a un centaure pour emblème devrait mieux se tenir à cheval que ça.* Dunk ne savait pas avec quelle habileté ser Kyle maniait la lance, mais à considérer l'assiette de lord Caswell, on avait l'impression qu'une forte quinte de toux suffirait à le désarçonner. *Le Chat n'aura qu'à le croiser à pleine allure.*

L'Œuf tint la bride de Tonnerre pendant que Dunk se hissait avec lourdeur sur la haute selle rigide. Tandis qu'il attendait, assis, il sentait les regards posés sur lui. *Ils se demandent quelle valeur peut avoir ce grand chevalier errant.* Dunk se posait la même question. Il ne tarderait pas à avoir la réponse.

Le Chat de Lande-aux-Brumes tint parole. La lance de lord Caswell tanguait sur toute la largeur des lices, et celle de ser Kyle était mal dirigée. Aucun des deux hommes ne poussa sa monture au-delà du trot. Néanmoins, le Chat dégringola quand le rochet de lord Joffrey lui tapa par mégarde contre l'épaule. *Moi qui croyais que tous les chats retombaient sur leurs pattes avec grâce*, songea Dunk alors que le chevalier errant roulait dans la poussière. La lance de lord Caswell restait intacte. En faisant virer sa monture, il la brandit de façon répétée, comme s'il venait juste de désarçonner Leo l'Épine ou l'Orage Moqueur. Le Chat retira son casque et partit à la poursuite de son cheval.

« Mon écu », demanda Dunk à l'Œuf. Le garçon le lui tendit. Dunk glissa le bras gauche dans la sangle et referma sa main sur la poignée. Le poids du bouclier en amande était rassurant, malgré sa longueur qui le rendait encombrant. *Ces armoiries sont de mauvais augure.* Il décida de faire repeindre l'écu au plus vite. *Puisse le Guerrier m'accorder une course aisée et une prompte victoire*, pria-t-il tandis que le héraut de Beurpuits gravissait une fois de plus les marches. « Ser Uthor Enverfeuille, tonna sa voix. Le Chevalier au Gibet. Avancez et démontrez votre valeur.

« Prenez garde, messer », lui conseilla l'Œuf en tendant à Dunk une lance de tournoi, une perche en bois pointu longue de douze pieds, terminée par un rochet en fer arrondi, en forme de poing fermé. « Les autres écuyers disent que ser Uthor a une bonne assiette. Et qu'il est vif.

— Vif ? » Dunk eut un renâclement de dérision. « Il porte un escargot sur son écu. À quelle vivacité peut-il bien prétendre ? » Il donna du talon dans les flancs de Tonnerre et fit lentement avancer la bête, sa lance à la verticale. *Juste une victoire, et je ne suis pas plus mal loti qu'auparavant. Deux nous laisseraient largement bénéficiaires. Deux, ce n'est pas trop demander, en une telle compagnie.* Les tirages au sort lui avaient été propices, au moins. Il aurait tout aussi bien pu tirer le Vieil Aurochs, ser Kirby Pimm ou un autre héros local. Dunk se demanda si le maître des jeux plaçait délibérément les chevaliers errants les uns contre les autres, afin que nul nobliau ne dût souffrir l'ignominie de perdre au premier tour face à l'un d'eux. *C'est sans importance. Un ennemi à la fois, c'est ce que disait toujours l'Ancien. Ser Uthor devrait être ma seule préoccupation pour l'instant.*

Ils se rencontrèrent devant la tribune, où lord et lady Beurpuits siégeaient sur leurs coussins à l'ombre des remparts du château. Lord Frey, à leurs côtés, faisait sauter son morveux de fils sur un genou. Une rangée de servantes les éventait, mais la tunique damassée de lord Beurpuits était néanmoins tachée aux aisselles, et les cheveux de sa dame trempés de transpiration. Elle semblait avoir chaud, s'ennuyer et être mal à l'aise, mais lorsqu'elle vit Dunk, elle bomba le torse d'une façon qui le fit virer au rouge sous son casque. Il inclina sa lance vers elle et le seigneur son époux. Ser Uthor agit de même. Beurpuits leur souhaita à tous deux belle joute. Sa femme tira la langue.

C'était l'heure. Dunk regagna au trot l'extrémité sud des lices. À quatre-vingts pieds de là, son adversaire prenait lui aussi position. Son étalon gris était plus petit que Tonnerre, mais plus jeune et plus ardent. Ser Uthor portait de la plate émaillée de vert, et une cotte de mailles argentée. Des rubans de soie verte et grise flottaient de son bassinet arrondi, et son bouclier vert arborait un escargot d'argent. *Une bonne armure et un bon cheval représentent une belle rançon, si je le désarçonne.*

Une trompe sonna.

Tonnerre partit au petit trot. Dunk orienta sa lance vers la gauche et l'abaissa, de façon à ce qu'elle soit à l'oblique au-dessus de la tête du cheval et de la palissade de bois qui le séparait de son adversaire. Son écu protégeait le côté gauche de son corps. Il se courba vers l'avant, serrant les jambes tandis que Tonnerre dévalait les lices. *Nous ne faisons qu'un. L'homme, le cheval et la lance, nous formons une seule bête de sang, de bois et de fer.*

Ser Uthor chargeait sans retenue, les sabots de son gris soulevant des nuages de poussière. Arrivé à une quarantaine de pas de séparation, Dunk éperonna Tonnerre pour prendre le galop et dirigea la pointe de sa lance tout droit vers l'escargot d'argent. Le soleil morose, la poussière, la chaleur, le château, lord Beurpuits et son épouse, le Ménétrier et ser Maynard, chevaliers, écuyers, palefreniers, peuple, tout cela disparut. Seul demeurait l'adversaire. Nouveau coup d'éperons. Tonnerre engagea sa course. L'escargot se ruait sur eux, grandissant à chaque foulée des longues jambes du gris… mais en avant arrivait la lance de ser Uthor, avec son poing de fer. *Mon écu est solide ; mon bouclier soutiendra le choc. Seul importe l'escargot. Frappe l'escargot, et la joute me revient.*

Alors qu'il ne restait que dix pas entre eux, ser Uthor déplaça la pointe de la lance vers le haut.

Un choc résonna aux oreilles de Dunk quand sa lance frappa. Il ressentit l'impact dans son bras et son épaule, mais ne vit pas le coup toucher au but. Le poing de fer d'Uthor l'atteignit exactement entre les yeux, avec derrière lui toute la force de l'homme et du cheval.

Dunk se réveilla sur le dos, à contempler les arceaux d'une voûte. L'espace d'un instant, il ne sut où il était, ni comment il était arrivé là. Des voix sonnaient sous son crâne, et des visages flottaient devant lui – le vieux ser Arlan, Tanselle la Dégingandée, Bennis au Bouclier Brun, la Veuve rouge, Baelor Briselance, Aerion le Flamboyant, la triste et folle lady Vaith. Puis, tout d'un coup, la joute lui revint à la mémoire : la chaleur, l'escargot, le poing de fer filant vers son visage. Il gémit et se retourna sur un coude. Le mouvement fit battre son crâne comme un monstrueux tambour de guerre.

Au moins, ses deux yeux semblaient fonctionner. Il ne sentait pas non plus de trou dans sa tête, ce qui était une bonne nouvelle. Il se trouvait dans une sorte de cave, constata-t-il, avec des barriques de bière et de vin de toutes parts. *Au moins, il fait frais, ici,* se dit-il, *et il y a de quoi boire à portée de main.* Il avait en bouche un goût de sang. Dunk ressentit la pointe d'une crainte. S'il s'était tranché la langue d'un coup de dents, il allait être muet en plus d'être lourdaud. « Bien le bonjour », coassa-t-il, simplement pour entendre sa voix. Les mots résonnèrent contre le plafond. Dunk tenta de se remettre debout, mais l'effort fit tournoyer la cave.

« Doucement, doucement », conseilla une voix chevrotante, tout près. Un vieillard voûté apparut auprès du lit, revêtu de robes aussi grises que ses longs cheveux. Autour du cou, il portait une chaîne de mestre en métaux divers. Il avait un visage âgé et ridé, et des plis profonds encadraient un grand nez en bec. « Restez tranquille, et laissez-moi examiner vos yeux. » Il scruta l'œil gauche de Dunk, puis le droit, les maintenant ouverts entre son pouce et son index.

« J'ai mal à la tête. »

Le mestre ricana. « Estimez-vous heureux qu'elle vous siège toujours sur les épaules, messer. Tenez, ceci devrait aider quelque peu. Buvez. »

Dunk se força à avaler l'immonde potion jusqu'à la dernière goutte, et réussit à ne pas la recracher. « Le tournoi », s'enquit-il, en s'essuyant la bouche du revers de la main. « Dites-moi. Qu'est-il arrivé ?

— Les mêmes sottises qui arrivent toujours dans ces remue-ménage. Des hommes en ont fait tomber d'autres de cheval avec des bâtons. Le neveu de lord Petibois s'est cassé le poignet, et la jambe de ser Eden Risley a été écrasée sous son cheval, mais personne n'a été tué, jusqu'ici. Bien que j'aie eu quelques inquiétudes sur votre compte, messer.

— J'ai été désarçonné ? » Il avait la tête comme rembourrée de laine, sinon il n'aurait posé une aussi sotte question. Dunk la regretta à la seconde où les mots sortirent.

« Avec un fracas à ébranler les plus hauts remparts. Ceux qui avaient parié sur vous de coquettes sommes ont été les plus affligés, et votre écuyer était dans tous ses états. Il serait assis avec vous si je ne l'avais pas fait déguerpir. Je n'ai pas besoin d'avoir des enfants dans mes jambes. Je lui ai rappelé quel était son devoir. »

Dunk découvrit qu'il avait lui-même besoin d'un rappel. « Lequel était-ce ?

— Votre monture, messer. Vos armes et votre armure.

— Certes », répondit Dunk, retrouvant la mémoire. Le gamin était un bon écuyer ; il savait ce qu'on attendait de lui. *J'ai perdu l'épée de l'Ancien et l'armure que m'avait forgée Pâte d'Acier.*

« Votre ménétrier d'ami a pris de vos nouvelles, également. Il m'a demandé de vous prodiguer les meilleurs soins. Je l'ai fichu dehors, lui aussi.

— Depuis combien de temps vous occupez-vous de moi ? » Dunk plia les doigts de sa main d'épée. Ils semblaient tous en ordre de marche. *Je n'ai mal qu'à la tête, et ser Arlan disait toujours que je ne m'en sers jamais, de toute façon.*

« Quatre heures, selon le cadran solaire. »

Quatre heures ; il ne s'en tirait pas si mal. Il avait un jour entendu parler d'un chevalier frappé si fort qu'il avait dormi quarante ans et s'était réveillé pour se découvrir vieux et flétri. « Savez-vous si ser Uthor a gagné sa deuxième joute ? » Peut-être l'Escargot allait-il remporter le tournoi. Cela adoucirait l'amertume de sa défaite si Dunk pouvait se dire qu'il avait perdu face au meilleur chevalier en lice.

« Celui-là ? Oh, certes. Contre ser Addam Frey, un cousin de la mariée, et une jeune lance prometteuse. Sa Seigneurie est tombée en pâmoison à la chute de ser Addam. On a dû lui prêter la main pour regagner ses appartements. »

Dunk se força à se remettre debout, titubant en se redressant, mais le mestre l'aida à se stabiliser. « Où sont mes effets ? Je dois y aller. Je dois… il faut…

— Si vous ne vous en souvenez pas, ce ne peut être si urgent. » Le mestre eut un geste d'irritation. « Je vous conseillerais d'éviter les nourritures trop riches, les boissons trop fortes et de nouveaux chocs entre les deux yeux… Mais j'ai appris depuis longtemps que les chevaliers sont sourds au bon sens. Allez-y, allez-y. J'ai d'autres imbéciles à soigner. »

À l'extérieur, Dunk aperçut un faucon qui planait en larges cercles à travers le ciel bleu vif. Il l'envia. Quelques nuages s'amoncelaient à l'est, aussi noirs que l'humeur de Dunk. Tandis qu'il retrouvait le chemin des lices, le soleil lui martela le crâne comme la masse frappe sur l'enclume. La terre semblait se mouvoir sous ses pieds… à moins qu'il ne fût en train de tituber. Il avait failli tomber à deux reprises en gravissant les marches de la cave. *J'aurais dû écouter l'Œuf.*

Il traversa lentement la cour extérieure, longeant les bords de la foule. Sur les lices, le replet lord Alyn Chantecoq sortait en clopinant entre deux écuyers, dernière conquête du jeune Glendon Boule. Un troisième écuyer portait son casque, aux trois fières plumes cassées. « Ser Jehan le Ménétrier, clama le héraut, ser Franklyn de la maison Frey, chevalier des Jumeaux, lige du sire du Pont. Avancez et démontrez votre valeur. »

Dunk resta figé sur place à regarder le grand palefroi noir du Ménétrier entrer en lice dans un flot de soie bleue, d'épées dorées et de vielles. Son pectoral était émaillé en bleu également, tout comme ses poulaines, son coutre, ses grèves et son gorgerin. La maille annelée au-dessous était dorée. Ser Franklyn montait un cheval gris pommelé à l'abondante crinière d'argent, assorti au gris de ses soieries et à l'argent de son armure. Sur son écu et son surcot, et sur le caparaçon du cheval, figuraient les tours jumelles de Frey. Ils chargèrent, et chargèrent encore. Dunk restait là à les regarder, mais il ne voyait rien. *Dunk le balourd, lourd comme un vrai rempart*, se gourmanda-t-il. *Il portait un escargot sur son écu. Comment as-tu pu perdre contre un homme qui a un escargot sur son écu ?*

Des vivats éclatèrent tout autour de lui. Lorsque Dunk leva les yeux, il vit Franklyn Frey au sol. Le Ménétrier avait mis pied à terre, pour aider son adversaire tombé à se relever. *Il a avancé d'un pas supplémentaire vers son œuf de dragon,* songea Dunk, *et moi, où en suis-je ?*

En approchant de la poterne, Dunk rencontra la compagnie des nains du banquet de la veille, qui se préparaient à prendre congé. Ils attelaient des poneys à leur cochon de bois à roues, et à un second chariot d'un type plus conventionnel. Ils étaient six, nota-t-il, chacun d'eux plus petit et plus contrefait que le suivant. Quelques-uns auraient pu être des enfants, mais tous étaient tellement courts sur pattes qu'on avait du mal à faire la différence. À la clarté du jour, vêtus de braies en cuir de cheval et de manteaux capuchonnés en coutil, ils paraissaient moins enjoués qu'en costume biparti. « Bien le bonjour à vous, lança Dunk pour être courtois. Alors, vous prenez la route ? Il y a des nuages sur l'est, ça pourrait annoncer de la pluie. »

Pour seule réponse, il reçut un regard furibond du nain le plus laid. *Était-ce celui dont j'ai débarrassé lady Beurpuits hier soir ?* Vu de près, le petit homme puait les latrines. Une bouffée suffit pour inciter Dunk à presser le pas.

La traversée de la Laiterie parut prendre autant de temps à Dunk qu'il en avait mis naguère avec l'Œuf pour franchir les sables de Dorne. Il gardait un rempart à proximité et, de temps en temps, s'y appuyait. Chaque fois qu'il tournait la tête, le monde chavirait. *À boire*, songea-t-il. *J'ai besoin d'eau, sinon je risque bien de m'écrouler.*

Un palefrenier qui passait lui indiqua où trouver le puits le plus proche. Ce fut là qu'il découvrit Kyle le Chat, en tranquille conciliabule avec Maynard Prünh. L'abattement voûtait les épaules de ser Kyle, mais il leva les yeux à l'approche de Dunk. « Ser Duncan ? Nous avions entendu dire que vous étiez mort, ou agonisant. »

Dunk se massa les tempes. « Si seulement c'était vrai.

— Je connais bien cette sensation, soupira ser Kyle. Lord Caswell ne m'a pas reconnu. Lorsque je lui ai conté comment j'avais taillé sa première épée, il m'a regardé comme si j'avais perdu l'esprit. Il m'a dit qu'il n'y avait pas de place à Pont-l'Amer pour des chevaliers aussi faibles que ce dont j'avais fait la démonstration. » Le Chat rit jaune. « Il n'en a pas moins pris mes armes et mon armure. Ainsi que ma monture. Qu'est-ce que je vais devenir ? »

Dunk n'avait aucune réponse à lui donner. Même un franc-coureur avait besoin d'un cheval : une épée-louée devait posséder une épée pour la louer. « Vous vous procurerez un autre cheval, lui assura Dunk en remontant le seau.

Les Sept Couronnes en débordent. Vous trouverez un autre seigneur pour vous armer. » Il plaça ses mains en coupe, les remplit d'eau et but.

« Un autre seigneur. Certes. Vous en connaissez un ? Je ne suis pas aussi jeune ou aussi robuste que vous. Ni aussi grand. Il y a toujours de la demande pour les colosses. Lord Beurpuits, par exemple, aime les chevaliers de large carrure. Regardez ce Tom Heddle. Vous l'avez vu jouter ? Il a désarçonné tous les hommes qu'il a affrontés. Mais le gamin de Boulenfeu en a fait autant. Ainsi que le Ménétrier. Si seulement il avait pu être celui qui m'a jeté à terre. Il refuse de percevoir rançon. Il ne désire rien d'autre que l'œuf de dragon, affirme-t-il, … ça et l'amitié de ses adversaires défaits. La fleur de la chevalerie, cet homme. »

Maynard Prünh laissa échapper un rire. « Le vielleux de la chevalerie, voulez-vous dire. Ce gamin va nous interpréter une bourrasque, et nous aurions tous intérêt à être partis d'ici avant qu'elle n'éclate.

— Il ne perçoit pas de rançon ? s'étonna Dunk. Le geste est élégant.

— On a aisément le geste élégant, quand on a la bourse gavée d'or, rétorqua ser Maynard. Il y a une leçon à en tirer, si vous avez assez de bon sens pour la retenir, ser Duncan. Il n'est pas trop tard pour partir, pour vous.

— Partir ? Mais partir où ? »

Ser Maynard haussa les épaules. « N'importe où. Winterfell, Lestival, Asshaï-lès-l'Ombre. Peu importe, du moment que ce ne sera pas ici. Prenez votre cheval et votre armure, et glissez-vous par la poterne sans vous faire repérer. Nul ne remarquera votre absence. L'Escargot doit songer à sa prochaine joute, et les autres n'ont d'yeux que pour les rencontres. »

Le temps d'un demi-battement de cœur, Dunk fut tenté. Tant qu'il resterait armé et monté, il demeurerait plus ou moins chevalier. Sans ses armes, ce n'était plus qu'un mendiant. *Un grand mendiant, mais un mendiant quand même.* Or ses armes et son armure appartenaient désormais à ser Uthor. De même que Tonnerre. *Plutôt mendiant que voleur.* Il avait été les deux, à Culpucier, quand il faisait les quatre cents coups avec la Fouine, Rafe et Boudin, mais l'Ancien l'avait sauvé de cette existence. Il savait ce qu'aurait répondu ser Arlan de L'Arbre-sous à la suggestion de Prünh. Ser Arlan étant mort, Dunk répondit à sa place. « Même un chevalier errant a son honneur.

— Préférez-vous mourir avec votre honneur intact, ou vivre en l'ayant souillé ? Non, épargnez-moi la réponse, je sais ce que vous allez dire. Prenez votre gamin et déguerpissez, Chevalier au Gibet. Avant que vos armes ne deviennent votre destinée. »

Dunk se hérissa. « Que savez-vous de ma destinée ? Avez-vous fait un rêve, comme Jehan le Ménétrier ? Que savez-vous de l'Œuf ?

— Je sais que les œufs sont bien inspirés de se tenir à l'écart des coups durs. Murs-Blancs n'est pas un lieu très sain pour ce gamin.

— Comment vous êtes-vous comporté dans votre propre joute, messer ? lui demanda Dunk.

— Oh, je n'ai pas couru le risque des lices. Les augures étaient mauvais. À votre avis, qui va remporter l'œuf de dragon, s'il vous plaît ? »

Pas moi, se dit Dunk. « Seuls les Sept savent. Je l'ignore.

— Oseriez-vous un pronostic, messer. Vous avez des yeux. »

Il réfléchit un moment. « Le Ménétrier ?

— Très bien. Voudriez-vous m'expliquer votre raisonnement ?

— J'ai juste… un simple pressentiment.

— Moi aussi, confia Maynard Prünh. Un mauvais pressentiment envers quiconque, homme ou enfant, serait assez mal avisé pour se placer en travers du chemin de notre Ménétrier. »

L'Œuf bouchonnait Tonnerre devant leur tente, mais son regard était perdu au loin. *Le petit a mal vécu ma chute.* « Ça suffit, lança Dunk. Si tu continues, Tonnerre va être aussi chauve que toi.

— Messer ? » L'Œuf laissa choir la brosse. « Je *savais* qu'un idiot d'escargot ne pouvait pas vous tuer, messer. » Il jeta ses bras autour de lui.

Dunk chipa l'informe chapeau de paille du petit pour se le poser sur le crâne. « Le mestre m'a raconté que tu t'étais enfui avec mon armure. »

L'Œuf récupéra son chapeau avec indignation. « J'ai briqué votre maille et poli vos grèves, votre gorgerin et votre pectoral, messer, mais votre heaume est fendu et cabossé à l'endroit où a frappé le rochet de ser Uthor. Il vous faudra le faire redresser par un armurier.

— Que ser Uthor s'en occupe. Il lui appartient, à présent. » *Pas de cheval, pas d'épée, pas d'armure. Peut-être les nains me laisseraient-ils rejoindre leur troupe. Ce serait un spectacle cocasse, six nains rouant de coups un géant, avec des vessies de porc.* « Tonnerre lui appartient aussi. Viens. Allons les lui porter et lui souhaiter bonne chance pour le restant de ses joutes.

— Tout de suite, messer ? N'allez-vous pas payer rançon pour Tonnerre ?

— Avec quoi, gamin ? Des cailloux et des crottes de bique ?

— J'y ai réfléchi, messer. Si vous pouviez emprunter… »

Dunk lui coupa la parole. « Personne ne me prêtera une telle somme, Œuf. Pourquoi le feraient-ils ? Que suis-je, sinon un grand flandrin qui s'est prétendu chevalier jusqu'à ce qu'un escargot équipé d'un bâton manque de lui enfoncer le crâne ?

— Hé bien, vous pourriez prendre Pluie, messer. Je monterais à nouveau Mestre. Nous irons à Lestival. Vous pourrez entrer au service de la maison de mon père. Il a des écuries pleines de chevaux. Vous pourriez avoir un destrier, et aussi un palefroi. »

Les déclarations de l'Œuf partaient d'une bonne intention, mais impossible pour Dunk de rentrer tout penaud à Lestival. Pas de cette façon, démuni et vaincu, en quête d'un emploi sans même avoir une épée à offrir. « Petit, dit-il, c'est aimable à toi, mais je ne veux pas des miettes de la table du seigneur ton père, ni de ses écuries, non plus. Je me dis que ce serait peut-être le moment que nos chemins se séparent. » Dunk pourrait toujours s'éclipser pour entrer au guet de Port-Lannis ou de Villevieille ; on aimait les grands gaillards pour ce poste. *Je me suis cogné la caboche à chaque poutre de chaque auberge entre Port-Lannis et Port-Réal, il serait peut-être temps que ma taille me rapporte un peu de numéraire au lieu d'un crâne couvert de bosses.* Mais les hommes du guet n'avaient pas d'écuyers. « Je t'ai enseigné ce que j'ai pu, et ce n'était pas grand-chose. Tu t'en sortiras mieux avec un maître d'armes convenable pour se charger de ton entraînement, un vieux chevalier coriace qui saura par quel bout on tient la lance.

— Je n'en veux pas, d'un maître d'armes convenable, répliqua l'Œuf. C'est vous, que je veux. Et si j'utilisais ma… ?

— Non. Pas question. Je ne veux pas en entendre parler. Va rassembler mes armes. Nous allons les remettre à ser Uthor avec mes compliments. Les moments difficiles ne font qu'empirer quand on les repousse. »

L'Œuf flanqua un coup de pied dans le sol, son visage aussi abattu que son grand chapeau informe. « Bien, messer. Comme vous voudrez. »

Vue de l'extérieur, la tente de ser Uthor était tout à fait ordinaire : une vaste boîte carrée de toile de voile brune amarrée au sol par des cordes de chanvre. Un escargot d'argent ornait le piquet central au-dessus d'un long pennon gris, mais c'était l'unique décoration.

« Attends-moi ici », déclara Dunk à l'Œuf. Le gamin tenait Tonnerre par la bride. Le grand destrier brun était chargé des armes et de l'armure de Dunk, jusqu'à son vieux bouclier tout neuf. *Le Chevalier au Gibet. Quel lamentable chevalier mystère j'ai fait.* « Je ne serai pas long. » Il baissa la tête et se pencha pour écarter le rabat d'un coup d'épaule.

L'extérieur de la tente l'avait mal préparé au confort qu'il découvrit à l'intérieur. Le sol sous ses pieds était recouvert de tapis tissés de Myr, aux riches coloris. Une table sur tréteaux ornementée était entourée de sièges de camp. Le lit de plume portait un tas de coussins moelleux, et un brasero de fer brûlait un encens parfumé.

Ser Uthor était assis à la table, une pile d'or et d'argent devant lui et une carafe de vin près de son coude, en train de compter des pièces avec son écuyer, un personnage pataud proche de Dunk par l'âge. De temps en temps, l'Escargot donnait un coup de dent dans une pièce, ou la mettait de côté. « Je vois que j'ai encore beaucoup à t'apprendre, Will, l'entendit commenter Dunk. Cette pièce a été retaillée, et l'autre rognée. Et celle-là ? » Une pièce d'or dansa sur ses doigts. « Mais *regarde* les pièces avant de les accepter. Tiens, dis-moi ce que tu vois. » Le dragon tourbillonna dans les airs. Will tenta de l'attraper, mais la pièce rebondit hors de ses doigts et tomba sur le sol. Il dut s'agenouiller pour la retrouver. Une fois qu'il l'eut en main, il la retourna deux fois avant de déclarer : « Celle-ci est bonne, m'sire. Y a un dragon sur un côté et un roi d' l'aut'… »

Enverfeuille jeta un coup d'œil vers Dunk. « Le Pendu. J'ai plaisir à vous voir sur pied, messer. J'avais peur de vous avoir tué. Voulez-vous me faire une faveur et instruire mon écuyer sur la nature des dragons ? Will, donne cette pièce à ser Duncan. »

Dunk n'avait d'autre choix que de la prendre. *Il m'a jeté à bas de ma selle, faut-il qu'il me force également à exécuter des tours pour lui ?* Fronçant les sourcils, il soupesa la monnaie dans sa paume, en examina les deux faces, puis la goûta. « De l'or, ni rogné ni taillé. Le poids semble correct. Je l'aurais prise aussi, m'sire. Quel est son problème ?

— Le roi. »

Dunk le regarda de plus près. Le visage sur la pièce était jeune, glabre, séduisant. Sur ses pièces, le roi Aerys portait la barbe, tout comme le vieux roi Aegon. Le roi Daeron, qui avait régné entre eux deux, était rasé de près, mais ce n'était pas lui. La pièce ne paraissait pas assez usée pour dater d'avant Aegon l'Indigne. Dunk scruta avec une moue le mot au-dessous de la tête. *Six lettres*. Elles paraissaient identiques à celles qu'il avait vues sur d'autres dragons. DAERON, disaient les lettres, mais Dunk connaissait les traits de Daeron le Bon, et ce n'était pas lui. En y regardant de nouveau, il nota une anomalie dans la forme de la quatrième lettre, ce n'était pas... « *Daemon*, s'exclama-t-il. Il y a marqué *Daemon*. Mais il n'y a jamais eu de roi Daemon, pourtant. Juste...

— ... le Prétendant. Daemon Feunoyr a battu sa propre monnaie, pendant sa rébellion.

— Mais c'est quand même de l'or, objecta Will. Si c'est d' l'or, il devrait être aussi valable que les autres dragons, m'sire. »

L'Escargot lui colla un soufflet sur le coin de l'oreille. « Crétin. Oui-da, c'est de l'or. L'or des rebelles. L'or des traîtres. Posséder une telle pièce est de la trahison, et on est deux fois traître de la faire circuler. Je vais devoir la fondre. » Il souffleta une fois de plus le bonhomme. « File, je ne veux plus te voir. Ce brave chevalier et moi avons d'autres affaires à discuter. »

Will décampa de la tente sans perdre de temps. « Prenez un siège, proposa avec urbanité ser Uthor. Voulez-vous du vin ? » Ici, sous sa propre tente, Enverfeuille paraissait un homme différent de celui du banquet.

Un escargot se cache dans sa coquille, se souvint Dunk. « Je vous remercie, non. » Il lança la pièce en or à ser Uthor pour la lui rendre. *L'or des traîtres. L'or des Feunoyr. L'Œuf a dit que c'était un tournoi de traîtres, mais je n'ai pas voulu l'écouter.* Il devait des excuses au petit.

« Une demi-coupe, insista Enverfeuille. Vous semblez en avoir besoin. » Il emplit deux coupes de vin et en tendit une à Dunk. Sorti de son armure, il évoquait davantage un négociant qu'un chevalier. « Vous êtes venu pour le forfait, je présume.

— Si fait. » Dunk prit le vin. Peut-être cela aiderait-il à faire taire le martèlement sous son crâne. « J'ai apporté mon cheval, et mes armes et mon armure. Prenez-les, avec mes compliments. »

Ser Uthor sourit. « Et c'est ici que je vous dis que vous avez livré une vaillante course. »

Dunk se demanda si *vaillant* était une façon chevaleresque de dire « maladroit ». « C'est fort aimable à vous de le dire, mais…

— Je crois que vous m'avez mal entendu, messer. Serait-il trop hardi de ma part de vous interroger : comment vous êtes parvenu à l'état de chevalier, messer ?

— Ser Arlan de L'Arbre-sous m'a découvert à Culpucier, en train de pourchasser des cochons. Son ancien écuyer venait d'être tué sur le champ d'Herberouge, si bien qu'il avait besoin de quelqu'un pour s'occuper de sa monture et fourbir sa maille. Il a promis de m'enseigner à manier l'épée et la lance, et à monter un cheval, si j'entrais à son service, et c'est ce que j'ai fait.

— Le conte est charmant… À votre place, toutefois, je retirerais toute mention des cochons. Et où est votre ser Arlan, désormais, je vous prie ?

— Il est mort. Je l'ai enterré.

— Je vois. Vous l'avez ramené chez lui, à L'Arbre-sous ?

— Je ne savais pas où c'était. » Dunk n'avait jamais vu L'Arbre-sous de l'Ancien. Ser Arlan en parlait rarement, pas plus que Dunk n'avait coutume de parler de Culpucier. « Je l'ai enseveli sur un flanc de colline orienté vers l'ouest, afin qu'il puisse voir le soleil se coucher. » Le siège de camp grinça de façon alarmante sous son poids.

Ser Uthor reprit sa place. « Je possède ma propre armure, et un meilleur cheval que le vôtre. Qu'aurais-je à faire d'une vieille rosse fourbue et d'un sac de plates cabossées et de mailles rouillées ?

— C'est Pâte d'Acier qui a forgé cette armure, répondit Dunk avec un soupçon de colère. L'Œuf en a pris grand soin. Il n'y a pas une piqûre de rouille sur ma maille, et l'acier est bon et robuste.

— Robuste et lourd, déplora ser Uthor, et trop grand pour un homme de taille normale. Vous êtes d'une taille peu commune, Duncan le Grand. Quant à votre cheval, il est trop vieux pour la monte et trop filandreux pour la viande.

— Tonnerre n'est plus si jeune qu'il l'a été, reconnut Dunk, et mon armure est grande, comme vous le dites. Mais vous pourriez la vendre. À Port-Lannis et à Port-Réal, il ne manque pas de forgerons qui vous en débarrasseront.

— Pour le dixième de sa valeur, peut-être, et seulement dans le but de la fondre pour récupérer son métal. Non. C'est de doux argent que j'ai besoin, pas de vieux fer. La monnaie du royaume. Et à présent, voulez-vous acquitter rançon pour vos armes, ou non ? »

Dunk tourna la coupe de vin entre ses mains, rembruni. Elle était en argent massif, avec une frise d'escargots en or gravée autour du bord. Le vin aussi était doré, et capiteux sur la langue. « S'il suffisait de le vouloir, certes, je paierais. De grand cœur. Seulement…

— … vous n'avez pas un cerf vaillant.

— Si vous vouliez bien… si vous me rendiez l'usage de mon cheval et mon armure, je pourrais payer rançon plus tard. Une fois la somme amassée. »

L'Escargot parut amusé. « Et où la trouveriez-vous, je vous prie ?

— Je pourrais entrer au service d'un seigneur, ou… » Il avait du mal à faire sortir les mots. Ils le faisaient passer pour un mendiant. « Cela pourrait prendre plusieurs années, mais je vous paierais. Je le jure.

— Sur votre honneur de chevalier ? »

Dunk rougit. « Je pourrais apposer ma marque sur un parchemin.

— Le griffonnage d'un chevalier errant sur un bout de papier ? » Ser Uthor leva les yeux au ciel. « Cela me fournirait un torche-cul. Rien de plus.

— Vous aussi, vous êtes chevalier buissonnier.

— Vous m'insultez, à présent. Je chevauche où il me sied et ne sers d'autre homme que moi, c'est vrai… Mais voilà bien des années que je n'ai dormi sous un buisson de rencontre. Je considère les auberges largement plus confortables. Je suis chevalier *de tournoi*, le meilleur que vous aurez l'occasion de rencontrer.

— Le meilleur ? » Son arrogance indigna Dunk. « L'Orage Moqueur pourrait ne pas être d'accord, messer. Ni Leo l'Épine, ni la Brute de Bracken. Au champ de Cendregué, personne n'a parlé d'escargots. Comment cela se fait-il, si vous êtes un champion de tournoi si réputé ?

— M'avez-vous entendu me qualifier de champion ? Cela conduit à la renommée. Plutôt attraper la vérole ! Merci, mais non. Je vais remporter ma prochaine joute, certes ; mais je tomberai en finale. Beurpuits a trente dragons pour le chevalier qui finira second, cela me suffira… en même temps que de bonnes rançons et le rapport de mes paris. » Il désigna d'un geste les piles de cerfs d'argent et de dragons d'or sur la table. « Vous me faites l'effet d'un gaillard sain et fort grand. La taille impressionne toujours les sots, alors qu'elle compte tant et moins dans une joute. Will a pu m'obtenir des cotes de trois contre un contre moi. Lord Chauney offrait cinq contre un, cet imbécile. » Il saisit un cerf d'argent et le fit tourner sur place d'une chiquenaude de ses longs doigts. « Le Vieil Aurochs sera le prochain à tomber. Puis le chevalier de la Feuille de Rose, s'il survit jusque-là. Le sentiment étant ce qu'il est, je devrais obtenir une belle cote face à eux. Le petit peuple raffole de ces héros de village.

— Ser Glendon a du sang de héros, laissa échapper Dunk.

— Oh, mais je l'espère. Le sang de héros devrait bien me valoir du deux contre un. Le sang de catins détermine une cote moindre. Ser Glendon évoque son géniteur putatif à la moindre occasion, mais avez-vous remarqué qu'il ne parle jamais de sa mère ? Pour une bonne raison. Il est né d'une fille de camp. Jenny, elle se prénommait. Jenny Rien-qu'un-Sou, l'appelait-on, jusqu'au champ d'Herberouge. La nuit qui a précédé la bataille, elle a couché avec tant d'hommes que, dès lors, on l'a nommée Jenny d'Herberouge. Boulenfeu l'a prise avant cela, je n'en doute pas, mais cent autres ont fait de même. Notre ami Glendon s'avance beaucoup, ce me semble. Il n'a même pas les cheveux roux. »

Du sang de héros, songea Dunk. « Il se dit chevalier.

— Oh, cela au moins est vrai. Le petit et sa sœur ont grandi dans un bordel, appelé la Feuille de Rose. Après la mort de Jenny Rien-qu'un-Sou, les autres putains se sont occupées d'eux et ont fait gober au gamin le conte qu'avait concocté sa mère, sa descendance de la semence de Boulenfeu. Un vieil écuyer qui vivait dans les parages a donné au garçon une formation, pour ce qu'elle a été, en échange de bière et de chatte, mais n'étant qu'écuyer, il ne pouvait adouber le petit bâtard. Il y a six mois, toutefois, un groupe de chevaliers est descendu au bordel et, l'alcool aidant, un certain ser Morgan Donestable s'est entiché de la sœur de ser Glendon. À ce qu'il se trouve, la sœur était toujours vierge et Donestable n'avait point le montant de sa fleur. Si bien qu'ils ont passé un marché. Ser Morgan a adoubé son frère chevalier, là, à la Feuille de Rose, devant vingt témoins, et ensuite, Petite Sœur l'a mené à l'étage et l'a laissé cueillir sa fleur. Et voilà tout. »

N'importe quel chevalier pouvait faire un chevalier. Quand il était écuyer de ser Arlan, Dunk avait entendu raconter le cas d'autres hommes qui avaient acheté leur chevalerie avec une bonté, une menace ou une bourse de pièces d'argent, mais jamais avec la virginité d'une sœur. « Ce n'est qu'un conte, s'entendit-il dire. Ça ne peut pas être vrai.

— Je tiens cela de Kirby Pimm, qui soutient qu'il y était, en témoin de l'adoubement. » Ser Uthor haussa les épaules. « Fils de héros, fils de putain ou les deux, quand il m'affrontera, ce garçon tombera.

— Les tirages pourraient vous attribuer un adversaire différent. »

Ser Uthor arqua un sourcil. « Cosgrove est aussi friand d'argent que n'importe qui. Je vous le promets, je tirerai le Vieil Aurochs ensuite, puis le gamin. Voulez-vous parier là-dessus ?

— Il ne me reste rien à parier. » Dunk ne savait pas ce qui le consternait le plus : d'apprendre que l'Escargot graissait la patte du maître des jeux pour obtenir les rencontres de son choix, ou de comprendre que l'homme avait souhaité l'avoir, *lui*. Il se leva. « J'ai dit ce que je venais dire. Mon cheval et mon épée sont à vous, et mon armure tout entière. »

L'Escargot joignit ses mains par le bout des doigts. « Il y a peut-être une autre possibilité. Vous n'êtes pas totalement dénué de talent. Vous tombez à merveille. » La lippe de ser Uthor luisait, quand il souriait. « Je vais vous rendre l'usage de votre monture et de votre armure… si vous entrez à mon service.

— À votre service ? » Dunk ne comprenait pas. « Quel genre de service ? Vous avez un écuyer. Avez-vous besoin d'une garnison pour un château ?

— Je pourrais, si je possédais un château. À parler franc, je préfère les auberges. Les châteaux coûtent trop cher à entretenir. Non, le service que je vous demanderais serait de m'affronter dans quelques tournois supplémentaires. Vingt devraient suffire. Vous en êtes capable, assurément ? Vous toucherez un dixième de mes primes et, à l'avenir, je promets de frapper sur ce large torse, et non à la tête.

— Vous voudriez que je vous accompagne dans vos voyages pour être désarçonné ? »

Ser Uthor gloussa plaisamment. « Vous êtes un si vigoureux spécimen que nul n'imaginera jamais un vieillard voûté arborant un escargot sur son écu capable de vous abattre. » Il se frictionna le menton. « À ce propos, vous avez vous-même besoin de nouvelles armoiries. Ce pendu est sinistre à souhait, je vous l'accorde, mais… Ma foi, il est *pendu*, n'est-ce pas ? Mort et vaincu. Il faudrait quelque chose de plus farouche. Une tête d'ours, peut-être. Un crâne. Ou trois crânes, encore mieux. Un bébé fiché sur une pique. Et vous devriez vous laisser pousser les cheveux et la barbe, plus elle sera ébouriffée et mal tenue, mieux ce sera. Ces petits tournois sont plus nombreux que vous n'imaginez. Avec les cotes que j'obtiendrais, nous gagnerions assez pour acheter un œuf de dragon avant que…

— La nouvelle ne se répande que je suis un incapable ? J'ai perdu mon armure, pas mon honneur. Vous aurez Tonnerre et mes armes, rien de plus.

— L'orgueil sied mal aux mendiants, messer. Vous pourriez plus mal tomber que de chevaucher avec moi. Au moins, je pourrais vous enseigner une ou deux choses sur les joutes, sujet sur lequel, à l'heure actuelle, vous êtes ignorant comme un cochon.

— Vous me feriez passer pour un sot.

— Je l'ai déjà fait tout à l'heure. Et même les sots doivent manger. »

Dunk avait envie de briser d'un coup de poing le sourire sur son visage. « Je vois pourquoi vous affichez un escargot sur votre écu. Vous n'êtes pas un véritable chevalier.

— Parlé comme un véritable benêt. Êtes-vous si aveugle que vous ne voyez pas le péril où vous êtes ? » Ser Uthor écarta sa coupe. « Savez-vous pourquoi je vous ai atteint où je l'ai fait, messer ? » Il se remit debout et toucha Dunk avec légèreté au centre de la poitrine. « Un rochet envoyé ici vous aurait jeté à terre tout aussi vite. La tête est une cible plus réduite, le coup plus difficile à porter… mais plus susceptible d'être mortel. On m'a payé pour vous frapper là.

— Payé ? » Dunk s'écarta de lui. « Que voulez-vous dire ?

— Six dragons versés d'avance, quatre autres promis à votre mort. Piètre montant pour la vie d'un chevalier. Félicitez-vous-en. Si on m'avait offert davantage, j'aurais pu glisser la pointe de ma lance dans la fente de votre visière. »

Dunk fut à nouveau saisi de vertige. *Pourquoi paierait-on pour me faire tuer ? Je n'ai fait de tort à quiconque, à Murs-Blancs.* Assurément, personne ne le haïssait à ce point, hormis le frère de l'Œuf, Aerion, et le Prince Flamboyant était en exil de l'autre côté du détroit. « Qui vous a payé ?

— Un serviteur a apporté l'argent au lever du soleil, peu après que le maître des jeux a cloué en place les rencontres. Son visage était caché d'un capuchon, et il n'a pas prononcé le nom de son maître.

— Mais pourquoi ?

— Je n'ai pas demandé. » Ser Uthor remplit à nouveau sa coupe. « Je pense que vous avez plus d'ennemis que vous ne le savez, ser Duncan. Et pourquoi pas ? D'aucuns pourraient prétendre que vous êtes la cause de tous nos maux. »

Dunk sentit une main glacée sur son cœur. « Précisez ce que vous entendez par là. »

L'Escargot haussa les épaules. « Je n'étais peut-être pas au champ de Cendregué, mais la joute est mon pain et mon sel. Je suis les tournois à distance aussi fidèlement que les mestres suivent les étoiles. Je sais comment certain chevalier errant a été la cause d'un Jugement des Sept au champ de Cendregué, avec pour résultat la mort de Baelor Briselance, de la main de son frère Maekar. » Ser Uthor s'assit et étendit ses longues jambes. « Le prince Baelor était fort aimé. Le Prince Flamboyant avait des amis, lui aussi, amis qui n'auront pas oublié la cause de son exil. Réfléchissez à mon offre, messer. Certes, l'escargot laisse derrière lui une trace de bave, mais un peu de bave ne fait de mal à personne... En revanche, si vous dansez avec les dragons, il faut vous attendre à brûler. »

La journée semblait s'être assombrie quand Dunk émergea du pavillon de l'Escargot. Les nuages à l'est étaient devenus plus gros et plus noirs et, à l'ouest, le soleil se couchait en jetant de longues ombres sur la cour. Dunk trouva Will, l'écuyer, qui inspectait les sabots de Tonnerre.

« Où est l'Œuf ? lui demanda-t-il.

— Le gamin chauve ? Qu'est-ce que j'en sais ? Il a filé je n' sais où. »

L'idée de dire adieu à Tonnerre lui était insupportable, jugea Dunk. *Il a dû rentrer à la tente, avec ses livres.*

Ce n'était pourtant pas le cas. Les bouquins étaient là, assemblés en pile nette à côté du couchage roulé de l'Œuf, mais du gamin il n'y avait nulle trace. Quelque chose n'allait pas. Dunk le sentait. Ça ne ressemblait pas à l'Œuf, de partir flâner sans solliciter sa permission.

Une paire d'hommes d'armes blanchis sous le harnois buvait de la bière d'orge devant un pavillon à rayures, à quelques pas de là. « ... Ouais, va te faire foutre, une fois, ça m'a suffi, grommelait l'un. L'herbe était verte au lever du soleil, oui-da... » Il s'interrompit quand l'autre lui donna un coup de coude, et c'est alors seulement qu'il remarqua Dunk. « Messer ?

— Avez-vous vu mon écuyer ? L'Œuf, il s'appelle. »

L'homme se gratta un chaume gris en dessous d'une oreille. « J' me souviens de lui. Moins d' cheveux que moi, et une gueule trois fois plus grande que lui. Que'q'z-uns des aut' petits gars l'ont un peu bousculé, mais c'était hier au soir, ça. J' l'ai pas vu d'puis, messer.

— I-z-y ont fait peur », précisa son compagnon.

Dunk lança à celui-là un regard sévère. « S'il revient, dites-lui de m'attendre ici.

— Si fait, messer. On le f'ra. »

Il se pourrait qu'il soit simplement allé regarder les joutes. Dunk reprit le chemin des lices. En longeant les écuries, il rencontra ser Glendon Boule qui bouchonnait un joli destrier alezan. « Avez-vous vu l'Œuf ? lui demanda-t-il.

— Il est passé en courant, il y a quelques instants. » Ser Glendon tira une carotte de sa poche et la donna à croquer à l'alezan. « Ma nouvelle jument vous plaît ? Lord Costayne a envoyé son écuyer pour payer rançon, mais je lui ai dit de conserver son or. J'ai l'intention de la garder pour moi, celle-là.

— Sa Seigneurie ne va pas apprécier.

— Sa Seigneurie a affirmé que je n'avais pas le droit d'inscrire une boule de feu sur mon écu. Il m'a dit que mes armoiries devraient être une feuille de rose. Que Sa Seigneurie aille donc se faire foutre. »

Dunk ne put retenir un sourire. Il avait soupé à une table comparable, à devoir avaler les mêmes plats amers servis par des gens tels que le Prince Flamboyant et ser Steffon Fossovoie. Il éprouvait une certaine fraternité avec l'ombrageux jeune chevalier. *Pour tout ce que j'en peux savoir, ma mère était catin, elle aussi.* « Combien de chevaux avez-vous remportés ? »

Ser Glendon haussa les épaules. « J'ai perdu le compte. Mortimer Tourbier m'en doit encore un. Il a dit qu'il préférerait manger son cheval plutôt que de voir un bâtard de putain le monter. Et il a défoncé son armure à coups de marteau avant de me l'envoyer. Elle est pleine de trous. Je suppose que je peux quand même en tirer quelque chose, avec le métal. » Il semblait plus triste que mécontent. « Il y avait une écurie près du... de l'auberge où j'ai été élevé. J'y ai travaillé quand j'étais petit et, lorsque je pouvais, je faisais sortir les chevaux en cachette pendant que leurs propriétaires étaient occupés. J'ai toujours su m'y prendre, avec les chevaux. Les barbes, les coursiers, les chevaux de trait, de labour, les palefrois – je les ai tous montés. Même un étalon des sables dornien. Un vieillard que j'ai connu m'a appris à fabriquer mes propres lances. Je pensais que, si je leur prouvais mes qualités, ils n'auraient pas d'autre choix que de me reconnaître comme le fils de mon père. Mais ils s'y refusent. Même maintenant. Catégoriquement.

— Certains ne le feront jamais, lui dit Dunk. Malgré tout ce que vous pourrez faire. D'autres, toutefois... ils ne sont pas tous pareils. J'en ai rencontré de valeureux. » Il réfléchit un moment. « Quand le tournoi sera fini, l'Œuf et moi avons l'intention de monter vers le Nord. D'entrer au service de Winterfell et de combattre pour les Stark contre les Fer-nés. Vous pourriez nous accompagner. » Le Nord était un monde à part, disait toujours ser Arlan. Personne là-haut ne devait connaître la fable de Jenny Rien-qu'un-Sou et du chevalier de la Feuille de Rose. *Là-haut, personne ne rira de toi. Ils ne te connaîtront que par ta lame, et te jugeront sur ta valeur.*

Ser Glendon lui jeta un coup d'œil soupçonneux. « Pourquoi aurais-je envie de faire ça ?

Êtes-vous en train de me suggérer que je dois m'enfuir et me cacher ?

— Non. Je me disais simplement... deux épées, plutôt qu'une. Les routes ne sont plus aussi sûres que dans le temps.

— C'est assez vrai, admit le jeune homme à contrecœur, mais on a jadis promis à mon père une place dans la Garde Royale. J'ai l'intention de revendiquer le manteau blanc qu'il n'a jamais pu porter. »

Tu as autant de chances de porter un manteau blanc que moi, faillit répliquer Dunk. *Tu es né d'une putain des équipages, et je suis sorti à quatre pattes des caniveaux de Culpucier. Les rois ne comblent pas d'honneurs des gens comme toi et moi.* Le gamin n'aurait guère apprécié cette vérité, toutefois. Et Dunk lui dit plutôt : « Force soit à ton bras, en ce cas. »

Il ne s'était pas éloigné de plus de quelques pas quand ser Glendon le héla. « Ser Duncan, attendez. Je... je n'aurais pas dû parler si sèchement. Il incombe à un chevalier d'être courtois, comme répétait ma mère. » Le jeune homme semblait lutter pour trouver ses mots. « Lord Peake est venu me voir, après ma dernière joute. Il m'a offert une place à Stellepique. Il a dit qu'une tempête montait comme Westeros n'en avait pas vu depuis une génération, qu'il aurait besoin d'épées, et d'hommes pour les manier. Des hommes loyaux, qui sachent obéir. »

Dunk avait du mal à le croire. Gormon Peake avait clairement exprimé son mépris envers les chevaliers errants, autant sur la route que sur le toit. Cependant, c'était une offre généreuse. « Peake est un grand seigneur, répondit-il avec circonspection, mais… mais pas un homme auquel je me fierais, je pense.

— Non. » Le jeune homme rougit. « Il y avait un prix. Il me prendrait à son service, a-t-il dit… mais je devais d'abord prouver ma loyauté. Il veillerait à me faire affronter le Ménétrier pour la suite, et il voulait que je jure de perdre. »

Dunk le crut. Il aurait dû être choqué, il le savait, et pourtant, sans comprendre pourquoi, il ne l'était pas. « Et qu'avez-vous répondu ?

— J'ai déclaré que je ne pourrais pas réussir à perdre contre le Ménétrier, même en m'y efforçant, que j'avais déjà jeté à terre de plus valeureux combattants que lui, que l'œuf du dragon serait à moi avant la fin de la journée. » Boule eut un pâle sourire. « Ce n'était pas la réponse qu'il souhaitait. Il m'a alors traité d'imbécile et m'a conseillé de surveiller mes arrières. Le Ménétrier a beaucoup d'amis, m'a-t-il dit, alors que je n'en ai aucun. »

Dunk posa une main sur son épaule et la lui pressa. « Vous en avez un, messer. Deux, une fois que j'aurai retrouvé l'Œuf. »

Le jeune homme le regarda droit dans les yeux et hocha la tête. « Il est bon de savoir qu'existent encore de vrais chevaliers. »

Dunk eut sa première pleine vision de ser Tommard Heddle tandis qu'il cherchait l'Œuf parmi les foules autour des lices. Large et lourdement charpenté, avec un torse en barrique, le gendre de lord Beurpuits portait de la plate noire par-dessus du cuir bouilli et un heaume ornementé à la semblance d'un démon écailleux et bavant. Son cheval mesurait trois mains et pesait trente livres de plus que Tonnerre, une bête monstrueuse caparaçonnée de maille annelée. Le poids de tout ce fer le ralentissait, si bien qu'Heddle ne dépassait jamais le petit galop quand il lançait sa charge ; mais cela ne l'empêcha pas de disposer promptement de ser Clarence Charlton. Tandis qu'on emportait Charlton des lices sur une civière, Heddle retira son heaume démoniaque. Il avait la tête large et chauve, la barbe noire et carrée. De furieux furoncles rouges foisonnaient sur ses joues et son cou.

Dunk connaissait ce visage. Heddle était le chevalier qui l'avait apostrophé d'un grondement quand il avait manipulé l'œuf de dragon, l'homme à la voix grave qu'il avait entendu discuter avec lord Peake.

Un fatras de paroles lui revint en une vague : *un banquet de mendiants, que vous nous offrez … Ce garçon est-il bien le fils de son père… Aigracier… besoin de l'épée… Le vieux Sang-de-Lait s'attendait… Ce garçon est-il bien le fils de son père… Je vous garantis que Freux-sanglant ne rêve pas, lui… Ce garçon est-il bien le fils de son père ?*

Il examina la tribune, se demandant si l'Œuf n'aurait pas, qui sait comment, réussi à prendre sa place légitime au milieu des notables. Il n'y avait toutefois aucune trace du gamin. Beurpuits et Frey étaient également absents, quoique l'épouse de Beurpuits fût toujours sur son siège, semblant conjuguer l'ennui et l'impatience. *Voilà qui est étrange*, se dit Dunk. Ce château était celui de Beurpuits, c'étaient ses noces, et Frey était le père de son épouse. Ces joutes se donnaient en leur honneur. Où avaient-ils pu aller ?

« Ser Uthor Enverfeuille », tonna le héraut. Une ombre passa sur le visage de Dunk tandis qu'un nuage avalait le soleil. « Ser Buford de la maison Bulwer, le Vieil Aurochs, chevalier de Noircouronne. Avancez et démontrez votre valeur. »

Le Vieil Aurochs présentait un spectacle terrible dans son armure rouge sang, avec des cornes noires de taureau qui s'élevaient sur son casque. Il eut cependant besoin qu'un écuyer vigoureux l'aidât à enfourcher son cheval, et la façon qu'avait sa tête de toujours se tourner pendant qu'il chevauchait suggérait que ser Maynard avait eu raison sur son œil. Néanmoins, l'homme fut salué par de solides vivats quand il entra en lice.

Au contraire de l'Escargot, comme il préférait sans doute qu'il en allât. Au premier passage, les deux chevaliers échangèrent des coups qui rebondirent. Au second, le Vieil Aurochs brisa sa lance sur le bouclier de ser Uthor, tandis que le coup de l'Escargot manquait complètement sa cible. La même chose se produisit au troisième passage, et cette fois-ci, ser Uthor tangua comme s'il allait basculer. *Une feinte*, comprit Dunk. *Il prolonge la rencontre afin de faire monter les paris pour la prochaine fois.* Il lui suffit de jeter un coup d'œil à l'entour pour voir Will à l'ouvrage, collectant des mises pour son maître. Ce n'est qu'alors que l'idée lui vint qu'il aurait pu arrondir sa propre bourse en pariant une pièce ou deux sur l'Escargot. *Dunk le balourd, lourd comme un vrai rempart.*

Le Vieil Aurochs tomba au cinquième assaut, propulsé de côté par un rochet qui glissa avec habileté sur son bouclier pour le frapper en pleine poitrine. Au cours de sa chute, son pied se prit à l'étrier, et il fut traîné sur une quarantaine de pas à travers les lices avant que ses hommes ne parviennent à contrôler sa monture. De nouveau, on fit venir la civière, afin de le conduire au mestre. Quelques gouttes de pluie commencèrent à tomber tandis qu'on emportait Bulwer, et elles assombrirent son surcot dans leur chute. Dunk regardait sans expression. Il songeait à l'Œuf. *Et si cet ennemi secret avait mis la main sur lui ?* Ça avait autant de sens qu'autre chose. *Le petit n'a rien fait. Si quelqu'un a une querelle avec moi, ce ne devrait pas être à lui d'en répondre.*

On armait ser Jehan le Ménétrier pour sa prochaine joute lorsque Dunk le retrouva. Rien de moins que trois écuyers s'occupaient de lui, bouclant son armure et assurant le bardage de son cheval, tandis que lord Alyn Chantecoq, assis à côté, buvait du vin coupé d'eau, le postérieur endolori et la mine morose. En apercevant Dunk, lord Alyn s'étrangla, recrachant du vin sur sa poitrine. « Comment se fait-il que vous couriez toujours ? L'Escargot vous a enfoncé le crâne.

— Pâte d'Acier m'a fabriqué un bon heaume solide, m'sire. Et j'ai la tête dure comme la pierre, me disait ser Arlan. »

Le Ménétrier rit. « Ne faites pas attention à Alyn. Le bâtard de Boulenfeu l'a jeté à bas de son cheval sur son petit fessier dodu, et il a décidé à présent qu'il haïssait tous les chevaliers errants.

— Cette lamentable créature boutonneuse n'est pas fils de Quentyn Boule, insista Alyn Chantecoq. Jamais on n'aurait dû l'autoriser à concourir. S'il s'agissait de mes noces, je l'aurais fait fouetter pour son impudence.

— Quelle fille t'épouserait ? lui demanda ser Jehan. Et l'outrecuidance de Boule est considérablement moins irritante que tes bouderies. Ser Duncan, seriez-vous par hasard ami de Galtry le Vert ? Je vais devoir sous peu le séparer de son cheval. »

Dunk n'en doutait pas. « Je ne connais pas l'homme, m'sire.

— Voulez-vous prendre une coupe de vin ? Du pain et des olives ?

— Rien qu'un mot, m'sire.

— Tous les mots que vous voudrez. Retironsnous sous mon pavillon. » Le Ménétrier retint le rabat pour lui. « Pas toi, Alyn. Un peu moins d'olives ne te fera pas de mal, à franchement parler. »

À l'intérieur, le Ménétrier se retourna vers Dunk. « Je savais que ser Uthor ne vous avait pas tué. Mes rêves ne se trompent jamais. Et l'Escargot devra m'affronter sous peu. Une fois que je l'aurai désarçonné, j'exigerai le retour de vos armes et de votre armure. De votre destrier également, bien que vous méritiez meilleure monture. En accepteriez-vous une en cadeau ?

— Je… Non… je ne pourrais pas. » L'idée mettait Dunk mal à l'aise. « Je ne veux pas passer pour un ingrat, mais…

— Si c'est la question de la dette qui vous tracasse, chassez cette idée de votre esprit. Je n'ai nul besoin de votre argent, messer. Simplement de votre amitié. Comment pourriez-vous devenir un de mes chevaliers sans cheval ? » Ser Jehan enfila ses gantelets d'acier en queue de homard et ploya les doigts.

« Mon écuyer a disparu.

— Parti avec une fille, peut-être ?

— L'Œuf est trop jeune pour les filles, m'sire. Jamais il ne me quitterait de son plein gré. Si j'étais à l'agonie, il demeurerait jusqu'à ce que mon cadavre soit froid. Son cheval est encore là. Notre mule aussi.

— Si vous voulez, je peux envoyer mes hommes à sa recherche. »

Mes hommes. Dunk n'aimait guère ce terme. *Un tournoi pour les traîtres*, songea-t-il. « Vous n'êtes pas un chevalier errant.

— Non. » Le sourire du Ménétrier débordait de charme juvénile. « Mais vous le saviez depuis le début. Vous m'appelez *m'sire* depuis notre rencontre sur la route, comment cela se fait-il ?

— Votre façon de parler. Votre apparence générale. Votre comportement. » *Dunk le balourd, lourd comme un vrai rempart.* « Sur le toit, la nuit dernière, vous avez dit des choses…

— Le vin me rend trop bavard, mais j'en pensais chaque mot. Nous sommes liés ensemble, vous et moi. Mes rêves ne mentent pas.

— Vos rêves ne mentent pas, mais vous, si. Jehan n'est pas votre vrai nom, je me trompe ?

— Non. » Les yeux du Ménétrier pétillaient de malice.

Il a les yeux de l'Œuf.

« Son vrai nom sera révélé bien assez tôt, à ceux qui ont besoin de le savoir. » Lord Gormon Peake s'était glissé dans le pavillon, la mine grise. « Chevalier errant, je vous préviens…

— Oh, cesse donc, Gormy, interrompit le Ménétrier. Ser Duncan est des nôtres, ou le sera bientôt. Je te l'ai dit, j'ai rêvé de lui. » Au-dehors, une trompe de héraut sonna. Le Ménétrier tourna la tête. « On m'appelle sur les lices. Veuillez m'excuser, ser Duncan. Nous pourrons reprendre notre conversation une fois que j'aurai disposé de ser Galtry le Vert.

— Force à votre bras », lui souhaita Dunk. C'était la moindre des courtoisies.

Lord Gormon demeura après le départ de ser Jehan. « Ses rêves seront notre perte à tous.

— Qu'a-t-il fallu pour acheter ser Galtry ? s'entendit demander Dunk. S'est-il contenté d'argent, ou exige-t-il de l'or ?

— Je vois que quelqu'un a parlé. » Peake s'assit sur un siège de camp. « J'ai une douzaine d'hommes au-dehors. Je devrais les faire entrer et leur ordonner de vous trancher la gorge, messer.

— Pourquoi ne le faites-vous pas ?

— Sa Grâce le prendrait mal. »

Sa Grâce. Dunk eut l'impression qu'on lui avait assené un coup de poing dans l'estomac. *Encore un Dragon Noir*, se dit-il. *Une autre rébellion Feunoyr. Et bientôt, un autre champ d'Herberouge. L'herbe n'était pas rouge quand le soleil s'est levé.* « Pourquoi ce mariage ?

— Lord Beurpuits souhaitait une nouvelle épouse pour réchauffer son lit, et lord Frey avait une fille quelque peu abîmée. Leurs épousailles fournissaient un prétexte plausible pour réunir des seigneurs de même opinion. La plupart de ceux qu'on a invités ici ont jadis combattu pour le Dragon Noir. Le reste a des raisons de maudire le règne de Freuxsanglant, d'entretenir des griefs et de caresser des ambitions. Nombre d'entre nous ont vu mener des fils ou des filles à Port-Réal pour garantir notre future loyauté, mais la plupart des otages ont péri durant le Fléau de

Printemps. Nous n'avons plus les mains liées. Notre heure a sonné. Aerys est faible. Un homme de livres, pas un guerrier. Le peuple le connaît à peine, et ce qu'il en connaît ne lui plaît pas. Ses seigneurs l'aiment encore moins. Son père aussi était faible, c'est vrai, mais quand son trône a été menacé, il avait des fils pour se battre pour lui. Baelor et Maekar, le marteau et l'enclume... Mais Baelor Briselance n'est plus, et le prince Maekar se morfond à Lestival, fâché avec le Roi et la Main. »

Certes, songea Dunk, *et voilà à présent qu'un imbécile de chevalier errant a livré son fils préféré aux mains de ses ennemis. Comment mieux garantir que le prince ne bougera pas de Lestival ?* « Il y a Freuxsanglant, dit-il. Ce n'est pas un faible, lui.

— Non, admit lord Peake, mais personne n'aime les sorciers, et les fratricides sont maudits au regard des dieux et des hommes. Au premier signe de faiblesse ou de défaite, les partisans de Freuxsanglant fondront comme neiges en été. Et si le rêve qu'a fait le prince se réalise, et qu'un dragon vivant apparaît ici à Murs-Blancs... »

Dunk acheva pour lui : « ... le trône est à vous.

— À lui, corrigea lord Gormon Peake. Je ne suis qu'un humble serviteur. » Il se leva. « Ne cherchez pas à quitter le château, messer. Si vous le faisiez, je prendrais cela comme une preuve de traîtrise, et vous en répondriez de votre vie. Nous sommes allés trop loin pour rebrousser chemin maintenant. »

Le ciel de plomb crachait sa pluie avec vigueur quand Jehan le Ménétrier et ser Galtry le Vert empoignèrent des lances neuves à des extrémités opposées des lices. Certains invités de la noce s'échappaient vers la grande salle, blottis sous des capes.

Ser Galtry chevauchait un étalon blanc. Un plumet vert avachi adornait son heaume, un panache assorti la barde crinière de son cheval. Son manteau était un rapiéçage de nombreux carrés de tissu, chacun d'une nuance différente de vert. Des incrustations d'or faisaient scintiller ses grèves et ses gantelets, et son écu affichait neuf étoiles hérissées, jade sur un champ vert poireau. Il avait même la barbe teinte en vert, à la mode des hommes de Tyrosh, de l'autre côté du détroit.

Neuf fois le Ménétrier et lui chargèrent lances brandies, le chevalier aux coupons verts et le jeune nobliau aux épées d'or et à la vielle, et neuf fois leurs lances se brisèrent. Au huitième passage, le sol était devenu spongieux, et les grands destriers soulevaient en gerbes les flaques de pluie. Au neuvième, le Ménétrier faillit perdre son assiette, mais se reprit avant que de tomber. « Beau coup, lança-t-il en riant. Vous avez failli me jeter à terre, messer.

— Bientôt, lui cria le chevalier vert à travers la pluie.

— Non, je ne crois pas. » Le Ménétrier lâcha sa lance rompue et un écuyer lui en tendit une nouvelle.

L'assaut suivant fut leur dernier. La lance de ser Galtry érafla sans effet l'écu du Ménétrier, tandis que celle de ser Jehan percutait le chevalier vert nettement au centre de la poitrine et l'arrachait à sa selle, pour le faire choir dans de grandes gerbes brunes. À l'est, Dunk vit l'éclat de la foudre dans la distance.

Les tribunes des spectateurs se vidaient rapidement, tandis que petit peuple autant que nobliaux se hâtaient pour échapper à la pluie. « Regardez-les s'enfuir », murmura Alyn Chantecoq en se glissant auprès de Dunk. « Quelques gouttes de pluie, et tous ces hardis seigneurs déguerpissent en couinant chercher un abri. Que feront-ils lorsque éclatera l'orage véritable, je me le demande ? »

L'orage véritable. Dunk savait que lord Alyn ne parlait pas du temps. *Que veut-il, celui-là ? A-t-il subitement décidé de fraterniser avec moi ?*

Le héraut grimpa une fois de plus sur la plateforme. « Ser Tommard Heddle, chevalier de Murs-Blancs, au service de lord Beurpuits ! » clama-t-il tandis que le tonnerre grondait au loin. « Ser Uthor Enverfeuille. Avancez et démontrez votre valeur. »

Dunk jeta un coup d'œil à ser Uthor à temps pour voir virer à l'aigre le sourire de l'Escargot. *Ce n'est pas la rencontre pour laquelle il a payé.* Le maître des jeux l'a trompé, mais pourquoi ? *Quelqu'un d'autre est intervenu, quelqu'un que Cosgrove estime davantage qu'Uthor Enverfeuille.* Dunk remâcha cette idée un instant. *Ils ignorent qu'Uthor n'a pas l'intention de l'empor-*

ter, comprit-il d'un seul coup. *Ils le considèrent comme une menace, aussi comptent-ils sur Tom le Noir pour l'écarter du chemin du Ménétrier.* Heddle lui-même était partie prenante dans la conspiration de Peake ; on pouvait se fier à lui pour perdre lorsque le besoin s'en ferait sentir. Ce qui ne laissait plus que…

Et soudain, lord Peake en personne déboula sur le terrain boueux pour gravir les marches menant à la plate-forme du héraut, sa cape claquant derrière lui. « On nous a trahis ! s'écria-t-il. Freuxsanglant a mis un espion parmi nous. On a volé l'œuf de dragon ! »

Ser Jehan le Ménétrier fit volter sa monture. « Mon œuf ? Comment est-ce possible ? Lord Beurpuits a des gardes placés à l'extérieur de sa chambre nuit et jour.

— Tués, déclara lord Peake, mais un homme a nommé son assassin avant de mourir. »

Aurait-il l'intention de m'accuser ? se demanda Dunk. Une bonne dizaine d'hommes l'avaient vu manipuler l'œuf de dragon la veille, lorsqu'il avait transporté lady Beurpuits jusqu'à la couche du seigneur son époux.

L'index de lord Gormon s'abattit en un geste accusateur. « Le voilà. Ce fils de putain. Emparez-vous de lui. »

À l'autre bout des lices, ser Glendon Boule leva les yeux, abasourdi. L'espace d'un instant, il ne parut pas comprendre ce qui se passait, jusqu'à ce qu'il voie des hommes se ruer vers lui de toutes les directions. Là, le jeune homme se mut plus rapidement que Dunk n'aurait pu le croire. Il avait à demi tiré son épée du fourreau quand le premier homme jeta un bras autour de sa gorge. Boule s'arracha à son étreinte, mais deux autres étaient déjà sur lui. Ils le percutèrent et l'entraînèrent dans la boue. D'autres hommes s'agglomérèrent sur eux, hurlant et donnant des coups de pied. *Ce pourrait être moi*, comprit Dunk. Il se sentit aussi désemparé qu'il l'avait été à Cendregué, en ce jour où on lui avait annoncé qu'il devait perdre une main et un pied.

Alyn Chantecoq le tira en arrière. « Ne vous en mêlez pas, si vous tenez à retrouver votre écuyer. »

Dunk se retourna vers lui. « Que voulez-vous dire ?

— Il se peut que je sache où dénicher le gamin.

— Où ? » Dunk n'était pas d'humeur à jouer aux devinettes.

À l'autre bout du terrain, on remit rudement ser Glendon sur ses pieds, immobilisé entre deux hommes d'armes en mailles et demi-heaumes. Il était crotté de boue de la taille aux chevilles, et le sang et la pluie lui coulaient sur les joues. *Du sang de héros*, songea Dunk, tandis que Tom le Noir mettait pied à terre devant le captif. « Où est l'œuf ? »

Une bave de sang coula de la bouche de Boule. « Pourquoi aurais-je volé l'œuf ? Je me préparais à le remporter. »

Certes, se dit Dunk, *et cela, ils ne pouvaient le laisser faire.*

Tom le Noir frappa Boule au visage avec son poing maillé. « Fouillez ses fontes, ordonna lord Peake. Nous allons y découvrir l'œuf de dragon, empaqueté et dissimulé, je pourrais le parier. »

Lord Alyn baissa la voix. « C'est bien ce qui va se passer. Venez avec moi si vous tenez à retrouver votre écuyer. Il n'y aura pas de meilleur moment que maintenant, pendant qu'ils sont tous occupés. » Il n'attendit pas de réponse.

Dunk dut obtempérer. Trois grandes enjambées l'amenèrent à hauteur du nobliau. « Si vous avez fait le moindre mal à l'Œuf…

— Je n'ai aucun goût pour les petits garçons. Par ici. Hâtez-vous, à présent. »

Passant sous une arche, descendant une volée de marches boueuses, tournant à un coin, Dunk le suivit à grands pas, faisant voler l'eau des flaques tandis que la pluie s'abattait autour d'eux. Ils rasèrent les murs, enveloppés d'ombre, pour s'arrêter enfin dans une cour enclose au pavé de pierre lisse et glissant. Des bâtiments se pressaient étroitement de toutes parts. Au-dessus, on voyait des fenêtres, fermées de volets verrouillés. Au centre de la cour se trouvait un puits, entouré d'une petite margelle en pierre.

Un lieu isolé, songea Dunk. L'atmosphère ne lui plaisait guère. Un vieil instinct lui fit tendre la main vers la poignée de son épée, avant qu'il se souvienne qu'elle avait été remportée par l'Escargot. Alors qu'il tâtonnait sur sa hanche à la place où aurait dû pendre son fourreau, il sentit la pointe d'un poignard lui piquer le bas des reins. « Tournez-vous vers moi et je vous ôte un rein, puis je le donne à frire aux marmitons de Beurpuits pour le banquet. » Le poignard pénétra, insistant, à travers le dos du justaucorps de Dunk. « Allez jusqu'au puits. Pas de gestes brusques, messer. »

S'il a précipité l'Œuf dans ce puits, il lui faudra plus qu'un petit poignard d'enfant pour s'en tirer. Dunk avança avec lenteur. Il percevait la colère qui enflait dans son ventre.

La lame dans son dos disparut. « Vous pouvez vous retourner et me faire face, à présent, chevalier errant. »

Dunk obéit. « M'sire. Est-ce à propos de l'œuf de dragon ?

— Non. C'est à propos du Dragon. Vous imaginiez-vous que j'allais rester sans rien faire et vous laisser le voler ? » Ser Alyn grimaça. « J'aurais dû savoir qu'on ne pouvait se fier à cet incapable d'Escargot pour vous tuer. Je vais lui faire rendre mon or, jusqu'à la dernière pièce. »

Lui ? s'étonna Dunk. *Ce nobliau grassouillet et parfumé, à la figure terreuse, c'est lui, mon ennemi secret ?* Il ne savait pas s'il devait en rire ou en pleurer. « Ser Uthor a bien gagné son or. J'ai la tête dure, c'est tout.

— Il semblerait, en effet. Reculez. »

Dunk recula d'un pas.

« Encore. Encore. Un de plus. »

Un autre pas, et il se trouva contre le puits. Les pierres lui pressaient contre le bas du dos.

« Asseyez-vous sur la margelle. Un petit bain ne vous fait pas peur, si ? Vous ne pouvez guère être plus mouillé que vous l'êtes déjà.

— Je ne sais pas nager. » Dunk appuya une main sur la margelle. Les pierres étaient trempées. L'une d'elles branla sous la pression de sa paume.

« Comme c'est dommage. Voulez-vous sauter, ou dois-je vous piquer ? »

Dunk baissa les yeux. Il voyait les gouttes de pluie moucheter l'eau, à vingt bons pieds au-dessous. Les parois étaient couvertes d'algues gluantes. « Je ne vous ai jamais fait aucun mal.

— Et vous ne m'en ferez jamais. Daemon est à moi. Je commanderai sa Garde Royale. Vous n'êtes pas digne d'un manteau blanc.

— Je n'ai jamais prétendu le contraire. » *Daemon*. Le nom résonna sous le crâne de Dunk. *Pas Jehan. Daemon, comme son père. Dunk le balourd, lourd comme un vrai rempart.* « Daemon Feunoyr a donné le jour à sept fils. Deux sont morts sur le champ d'Herberouge, des jumeaux...

— Aegon et Aemon. De misérables brutes sans cervelle, tout comme vous. Quand nous étions petits, ils prenaient plaisir à nous tourmenter, Daemon et moi. J'ai pleuré lorsque Aigracier l'a entraîné en exil, et pleuré encore quand lord Peake m'a annoncé qu'il revenait chez lui. Mais là, il vous a vu, vous, sur la route, et il a oublié que j'existais. » Chantecoq agita son poignard de façon menaçante. « Vous pouvez entrer dans l'eau comme vous êtes, ou en saignant. Que préférez-vous ? »

Dunk referma sa main sur la pierre branlante. Elle se révéla moins descellée qu'il l'avait espéré. Avant qu'il puisse la dégager, toutefois, ser Alyn plongea. Dunk se tourna sur un côté, si bien que la pointe de la lame trancha dans la chair de son bras d'écu. C'est alors que la pierre céda. Dunk la fit manger à Sa Seigneurie, et il sentit les dents casser sous le choc. « Le puits, vraiment ? » Il frappa de nouveau le nobliau à la bouche, puis il lâcha la pierre, saisit Chantecoq par le poignet et le tordit jusqu'à ce qu'un os se brisât et que le poignard sonnât sur les pavés. « Après vous, m'sire. » S'effaçant, Dunk tira vigoureusement sur le bras du nobliau et lui flanqua un coup de pied dans le bas des reins. Lord Alyn dégringola la tête la première dans le puits. Il y eut une gerbe d'eau.

« Bien joué, messer. »

Dunk pivota. À travers la pluie, tout ce qu'il distinguait, c'était une forme encapuchonnée et un œil unique, pâle et blanc. Ce fut seulement quand l'homme s'avança que le visage dans l'ombre du capuchon revêtit les traits familiers de ser Maynard Prünh, son œil pâle n'étant rien que la broche d'opale qui retenait sa cape à l'épaule.

Dans le puits, lord Alyn se débattait, éclaboussait et appelait à l'aide. « *Au meurtre !* Aidez-moi, quelqu'un.

— Il a tenté de me tuer, expliqua Dunk.
— Cela peut expliquer tout ce sang.
— Du sang ? » Il baissa les yeux. Son bras gauche était rouge de l'épaule jusqu'au coude, sa tunique collée à sa peau. « Oh. »

Dunk ne se souvenait pas d'être tombé, mais il se retrouva subitement par terre, avec des gouttes d'eau qui roulaient sur son visage. Il entendait les geignements de lord Alyn sortir du puits, mais les bruits d'éclaboussures étaient devenus plus faibles. « Il faut panser ce bras. » Ser Maynard glissa le sien sous Dunk. « Allons, debout. Je ne peux pas vous soulever tout seul. Servez-vous de vos jambes. »

Dunk obtempéra. « Lord Alyn. Il va se noyer.
— Il ne manquera à personne. Au Ménétrier moins qu'à quiconque.
— Ce n'est pas », hoqueta Dunk, blême de douleur, « un ménétrier.
— Non. C'est Daemon de la maison Feunoyr, second du nom. Du moins est-ce ainsi qu'il se fera appeler, si jamais il accède au Trône de Fer. Vous seriez étonné de savoir combien de seigneurs préfèrent des rois braves et stupides. Daemon est jeune et fringant, et il a beaucoup de prestance, sur un cheval. »

Les clapotis sortis du puits étaient presque trop ténus pour qu'on les entende. « Ne devrions-nous pas lancer une corde à Sa Seigneurie ?
— Le sauver maintenant pour l'exécuter plus tard ? Je ne pense pas, non. Qu'il déguste le repas qu'il vous avait préparé. Venez,

appuyez-vous sur moi. » Prünh le guida pour la traversée de la cour. Vu de près il y avait quelque chose de curieux dans les traits généraux de ser Maynard. Plus Dunk les regardait et moins il semblait les voir. « Je vous ai encouragé à fuir, vous vous en souvenez, mais vous prisiez votre honneur par-dessus votre vie. Il est bel et bon de mourir avec honneur, mais si la vie en jeu n'est pas la vôtre, qu'en est-il ? Répondriez-vous de la même façon, messer ?

— La vie de qui ? » Du puits monta un dernier clappement d'eau. « L'Œuf ? Est-ce que vous parlez de l'Œuf ? » Dunk étreignit le bras de Prünh. « Où est-il ?

— Avec les dieux. Et vous devez savoir pourquoi, je pense. »

La douleur qui tordit le ventre de Dunk à cet instant-là lui fit oublier son bras. Il poussa un gémissement. « Il a voulu employer la botte.

— C'est ce que je suppose. Il a montré l'anneau à mestre Lothar, qui l'a livré à Beurpuits, qui s'est sans doute pissé aux braies en le voyant et qui a commencé à se demander s'il avait choisi le bon camp et ce que Freuxsanglant savait de la conspiration. La réponse à cette dernière question est *pas mal de choses*. » Prünh gloussa.

« *Qui êtes-vous ?*

— Un ami, répondit Maynard Prünh. Qui vous surveillait et s'étonnait de votre présence dans ce nid de vipères. Silence à présent, jusqu'à ce que nous vous ayons ravaudé. »

Restant dans les ombres, ils regagnèrent tous deux la petite tente de Dunk. Une fois à l'intérieur, ser Maynard alluma un feu, remplit un bol de vin et le déposa sur les flammes pour le faire bouillir. « Une blessure nette, et ce n'est pas votre bras d'épée, au moins, diagnostiqua-t-il en fendant la manche de la tunique trempée de sang de Dunk. Le coup paraît avoir manqué l'os. Toutefois, il nous faut le laver, ou vous pourriez perdre le bras.

— Ça n'a aucune importance. » L'estomac de Dunk se tordait, et il avait l'impression qu'il allait vomir d'un instant à l'autre. « Si l'Œuf est mort…

— … vous en portez la responsabilité. Vous auriez dû le tenir bien à l'écart de ces lieux. Je n'ai jamais dit que le petit était mort, cependant. J'ai dit qu'il était avec les dieux. Est-ce que vous avez du linge propre ? De la soie ?

— Ma tunique. La belle, celle que j'ai eue à Dorne. Qu'est-ce que vous entendez par : il est avec les dieux ?

— Chaque chose en son temps. D'abord, votre bras. »

Le vin ne tarda pas à fumer. Ser Maynard dénicha la belle tunique en soie de Dunk, la renifla d'un air soupçonneux, puis tira une dague et entreprit de la découper. Dunk ravala ses protestations.

« Ambrose Beurpuits n'a jamais été ce qu'on pourrait appeler un homme de décision, expliqua ser Maynard tout en froissant trois bandes de soie et en les laissant tomber dans le vin. Il entretenait des doutes sur ce complot depuis le début, des doutes qui se sont embrasés lorsqu'il a appris que le jeune homme ne portait pas l'épée. Et ce matin, son œuf de dragon a disparu et, avec lui, ses derniers vestiges de courage.

— Ser Glendon n'a pas volé l'œuf, attesta Dunk. Il a passé la journée dans la cour, à jouter ou à regarder jouter les autres.

— Peake n'en retrouvera pas moins l'œuf dans ses fontes de selle. » Le vin bouillait. Prünh enfila un gant de cuir et dit : « Essayez de ne pas crier. » Puis il pêcha une bande de soie dans le vin en ébullition et se mit à laver la coupure.

Dunk ne cria pas. Il serra les dents, se mordit la langue, frappa du poing contre sa cuisse assez fort pour laisser des marques, mais il ne cria pas. Ser Maynard employa ce qu'il restait de sa belle tunique pour confectionner un bandage et le lia très fortement autour de son bras. « Comment vous sentez-vous ? demanda-t-il quand il eut terminé.

— Horriblement mal. » Dunk frissonna. « *Où est l'Œuf ?*

— Avec les dieux. Je vous l'ai dit. »

Dunk leva le bras et serra sa main valide autour du cou de Prünh. « Parlez clairement. J'en ai soupé des indices et des clins d'œil. Dites-moi où trouver le petit, ou je vous brise votre putain de cou, ami ou pas.

— Au septuaire. Vous feriez bien d'y aller armé. » Ser Maynard sourit. « Est-ce assez clair pour vous, Dunk ? »

Son premier arrêt fut pour le pavillon de ser Uthor Enverfeuille.

Lorsque Dunk se coula à l'intérieur, il ne trouva que Will l'écuyer, penché sur une bassine, en train de laver le petit linge de son maître. « Encore vous ? Ser Uthor est au banquet. Vous voulez quoi ?

— Mon épée et mon écu.

— Vous avez apporté la rançon ?

— Non.

— En ce cas, pourquoi j' vous laisserais prendre vos armes ?

— J'en ai besoin.

— C'est pas une raison suffisante.

— Et si je vous disais : essayez de m'arrêter et je vous tue ? »

Will demeura un instant bouche bée. « Elles sont là-bas. »

Dunk s'immobilisa devant le septuaire du château. *Que les dieux m'accordent de ne pas arriver trop tard.* Son baudrier avait retrouvé sa place habituelle, bien serré autour de sa taille. Il avait accroché l'écu au gibet à son bras blessé, et son poids propageait à chaque pas des ondes de douleur en lui. Si quelqu'un venait à le frôler, il craignait bien de hurler. Il ouvrit les portes d'une bourrade de sa main valide.

À l'intérieur du septuaire, uniquement éclairé par les cierges qui scintillaient sur les autels des Sept, régnaient la pénombre et le silence. Le Guerrier avait le plus grand nombre de cierges allumés, comme on pouvait s'y attendre durant un tournoi ; plus d'un chevalier avait dû venir ici prier de recevoir force et courage, avant de s'aventurer sur les lices. L'autel de l'Étranger était enveloppé d'ombre, avec un seul cierge allumé. La Mère et le Père en avaient chacun des dizaines, le Ferrant et la Jouvencelle un peu moins. Et sous la lanterne brillante de l'Aïeule était agenouillé lord Ambrose Beurpuits, tête courbée, priant en silence pour obtenir la sagesse.

Il n'était pas seul. À peine Dunk s'était-il dirigé vers lui que deux hommes d'armes avancèrent pour lui couper la route, la mine austère sous leurs demi-heaumes. Tous deux étaient vêtus de maille, sous les surcots ondés du vert, blanc et jaune de la maison Beurpuits. « Halte, messer, dit l'un. Vous n'avez rien à faire ici.

— Si. Je vous avais *prévenus* qu'il me trouverait. »

C'était la voix de l'Œuf.

Lorsque l'Œuf émergea des ombres sous le Père, son crâne rasé luisant à la lumière des cierges, Dunk faillit se ruer vers lui, pour le soulever avec un cri de joie et l'étouffer dans son accolade. Quelque chose dans la voix de l'Œuf le fit hésiter. *Il a l'air plus mécontent qu'effrayé, et je ne l'ai jamais vu paraître aussi sévère. Et Beurpuits est à genoux. Il se passe quelque chose de bizarre, ici.*

Lord Beurpuits se remit debout. Même à la lueur tamisée des cierges, sa chair semblait pâle et moite. « Laissez-le », ordonna-t-il à ses gardes. Quand ils s'écartèrent, il fit signe à Dunk d'approcher. « Je n'ai fait aucun mal au petit. J'ai bien connu son père, lorsque j'étais Main du Roi. Le prince Maekar doit savoir que rien de ceci n'était mon idée.

— Il le saura, promit Dunk. *Qu'est-ce qu'il se passe, ici ?*

— Peake. C'est lui qui a tout organisé, je le jure par les Sept. » Lord Beurpuits posa une main sur l'autel. « Puissent les dieux me frapper sur-le-champ si je mens. Il m'a dit qui je devais inviter et qui exclure, et il a fait venir ici ce petit prétendant. Je n'ai jamais voulu prendre part à aucune trahison, vous devez me croire. Tom Heddle, lui, il m'a poussé, je ne le nie pas. Mon gendre, marié à ma fille aînée, mais je ne veux pas mentir : il était partie prenante.

— C'est votre champion, observa l'Œuf. S'il était mêlé à l'affaire, vous l'étiez aussi. »

Tais-toi, voulait rugir Dunk. *Ta langue folle va nous faire tuer.* Pourtant, Beurpuits sembla trembler. « Messire, vous ne comprenez pas. Heddle commande ma garnison.

— Vous devez bien avoir quelques gardes qui vous sont loyaux, objecta l'Œuf.

— Les hommes que voici, dit Beurpuits. Quelques autres. J'ai été trop négligent, je vous l'accorde, mais jamais je n'ai été un traître. Frey et moi entretenions depuis le début des doutes sur le compte du prétendant de lord Peake. *Il ne porte pas l'épée !* S'il était le fils de son père, Aigracier l'aurait armé de Feunoyr. Et toutes ces histoires de dragon… de la folie, de la folie et du délire. » Sa Seigneurie tapota de sa manche la sueur sur son visage. « Et à présent, ils ont emporté l'œuf, l'œuf de dragon que mon aïeul détenait du roi lui-même, en récompense de son féal service. Il était là ce matin à mon réveil, et mes gardes jurent que personne n'est entré ni sorti de la chambre à coucher. Il se peut que lord Peake les ait soudoyés, je ne puis dire, mais *l'œuf a disparu*. Ils doivent l'avoir pris, ou alors… »

Ou alors, l'œuf a éclos, songea Dunk. *Si un dragon vivant réapparaissait à Westeros, les seigneurs et le peuple accourraient de concert vers tout prince qui pourrait en revendiquer la possession.* « Messire, dit-il, un mot avec mon… mon écuyer, si vous voulez bien.

— Comme vous voudrez, messer. » Lord Beurpuits s'agenouilla pour prier de nouveau.

Dunk attira l'Œuf de côté et mit un genou en terre pour discuter avec lui les yeux dans les yeux. « Je vais te flanquer une taloche sur l'oreille si fort que ta tête va se retourner sur tes épaules, et que tu passeras le reste de ta vie à regarder d'où tu viens.

— Vous devriez, messer. » L'Œuf eut la bonne grâce de paraître penaud. « Je regrette.

J'avais simplement l'intention d'envoyer un corbeau à mon père. »

Afin que je puisse demeurer chevalier. Cela partait d'un bon sentiment. Dunk jeta un coup d'œil vers Beurpuits en prière. « Que lui as-tu fait ?

— Peur, messer.

— Certes, je le vois bien. Il aura des escarres aux genoux avant la fin de la nuit.

— Je ne savais pas quoi faire d'autre, messer. Le mestre m'a conduit à eux, une fois qu'il a vu la bague de mon père.

— Eux ?

— Lord Beurpuits et lord Frey, messer. Il y avait également quelques gardes. Tout le monde était aux cent coups. On a volé l'œuf de dragon.

— Pas toi, j'espère ? »

L'Œuf secoua la tête. « Non, messer. J'ai su que j'allais avoir des ennuis quand le mestre a montré ma bague à lord Beurpuits. J'ai pensé raconter que je l'avais volée, mais je me suis dit qu'il ne me croirait pas. Et puis, je me suis souvenu de la fois où j'ai entendu mon père rapporter un propos de lord Freuxsanglant, qu'il valait mieux être effrayant qu'effrayé, aussi ai-je prétendu que mon père nous avait envoyés ici espionner pour son compte, qu'il venait ici avec une armée, que Sa Seigneurie ferait mieux de me libérer et d'abandonner cette trahison, ou que cela lui coûterait sa tête. » Il eut un sourire timide. « Ça a mieux marché que je n'aurais cru, messer. »

Dunk eut envie d'attraper le garçonnet par les épaules et de le secouer jusqu'à ce que ses dents s'entrechoquent. *Ce n'est pas un jeu*, aurait-il voulu rugir. *C'est une question de vie ou de mort.* « Est-ce que lord Frey a entendu tout cela, lui aussi ?

— Oui. Il a souhaité à lord Beurpuits d'être heureux en mariage et annoncé qu'il regagnait les Jumeaux sur-le-champ. C'est alors que Sa Seigneurie nous a conduits ici pour prier. »

Frey peut fuir, rumina Dunk, *mais Beurpuits n'a pas cette option et, tôt ou tard, il va commencer à se demander pourquoi le prince Maekar et son armée n'apparaissent pas.* « Si lord Peake devait apprendre ta présence au château… »

Les portes extérieures du septuaire s'ouvrirent avec fracas. Dunk se retourna pour voir Tom Heddle le Noir fulminer dans sa maille et sa plate, l'eau de pluie ruisselant de sa cape détrempée pour former une flaque à ses pieds. Une douzaine d'hommes d'armes se tenaient avec lui, équipés de piques et de haches. La foudre flamboya en bleu et blanc en travers du ciel derrière eux, dessinant des ombres vives sur le sol de pierre pâle. Une rafale de vent humide fit danser tous les cierges du septuaire.

Oh, par les sept putains d'enfer, fut tout ce que Dunk eut le temps de penser avant qu'Heddle ne s'écrie : « L'enfant est là. Saisissez-vous de lui. »

Lord Beurpuits s'était remis debout. « Non. Halte. Il ne faut pas porter atteinte à l'enfant. Tommard, qu'est-ce que cela signifie ? »

Le visage de Tommard se tordit de mépris. « Nous n'avons pas tous du lait qui nous coule dans les veines, Votre Seigneurie. Je vais m'emparer de ce gamin.

— Vous ne comprenez pas. » La voix de Beurpuits s'était muée en un chevrotement flûté. « Nous sommes perdus. Lord Frey a fui, et d'autres suivront. Le prince Maekar arrive à la tête d'une armée.

— Raison de plus pour prendre le petit en otage.

— Non, non, se récria Beurpuits. Je ne veux plus rien avoir à faire avec lord Peake ou son prétendant. Je ne combattrai pas. »

Tom le Noir considéra froidement son seigneur. « Poltron. » Il cracha. « Racontez ce que vous voudrez. Vous combattrez, ou vous mourrez, messire. » Il tendit le doigt vers l'Œuf. « Un cerf au premier qui fait couler le sang.

— Non, non. » Beurpuits se tourna vers ses propres gardes. « Arrêtez-les, vous m'entendez ? Je vous l'ordonne. Arrêtez-les. » Mais tous les gardes s'étaient figés, désorientés, ne sachant plus à qui ils devaient obéir.

« Dois-je m'en charger moi-même, alors ? » Tom le Noir tira sa flamberge.

Dunk l'imita. « Derrière moi, Œuf.

— Rangez votre lame, tous les deux ! hurla Beurpuits. Je ne veux pas voir couler le sang dans le septuaire ! Ser Tommard, cet homme est le bouclier juré du prince. Il va vous tuer !

— Uniquement s'il me tombe dessus. » Tom le Noir découvrit ses dents en un sourire dur. « Je l'ai vu tenter de jouter.

— Je me débrouille mieux avec une épée », le mit en garde Dunk.

Heddle répondit par un grognement de dérision, et il chargea.

Dunk repoussa sans douceur l'Œuf en arrière et se tourna pour affronter la lame. Il bloqua assez bien le premier coup en taille, mais le choc de l'épée de Tom le Noir qui mordait dans son écu et l'entaille bandée par-dessous jetèrent un éclair de douleur qui lui crépita dans le bras. Il tenta de riposter par un coup d'estoc vers la tête d'Heddle, mais Tom le Noir esquiva et abattit de nouveau son épée. Dunk interposa son bouclier juste à temps. Des éclisses de pin volèrent et Heddle rit, pressant l'attaque, en bas, en haut et encore en bas. Dunk para chaque choc avec son écu, mais chaque impact était un supplice, et il se retrouva en train de céder du terrain.

« Frappez-le, messer, entendit-il l'Œuf lancer. Frappez-le, frappez-le, il est *juste là.* » Dunk avait en bouche un goût de sang et, plus grave, sa blessure s'était rouverte. Une vague de vertige l'engloutit. La lame de Tom le Noir taillait le bouclier allongé en échardes. *Chêne et fer, gardez-moi fort, ou bien suis mort, bon pour l'enfer*, songea Dunk, avant de se souvenir que ce bouclier-ci était en pin. Quand son dos cogna durement contre un autel, il tomba un genou en terre et comprit qu'il ne lui restait plus de terrain à céder.

« Vous n'êtes pas un chevalier, jugea Tom le Noir. Seraient-ce des larmes, dans vos yeux, rustaud ? »

Des larmes de douleur. Dunk se redressa de sa position agenouillée et percuta son adversaire, bouclier en avant.

Tom le Noir recula en titubant, conservant toutefois son équilibre, on ne savait comment. Dunk maintint sa charge contre lui, le choquant de son bouclier, encore et encore, mettant sa taille et sa force à profit pour repousser Heddle jusqu'au milieu du septuaire. Puis il écarta le bouclier d'un geste vif et abattit sa flamberge, et Heddle hurla alors que l'acier, traversant la laine et le muscle, mordait profondément dans sa cuisse. Sa propre épée frappa dans un mouvement affolé, mais le coup était désespéré et malhabile. Dunk laissa son bouclier l'encaisser une fois de plus et il porta tout son poids dans sa réplique.

Tom le Noir vacilla en arrière d'un pas, et fixa d'un regard horrifié son avant-bras qui roulait au sol, sous l'autel de l'Étranger. « Tu... hoqueta-t-il, tu, tu...

— Je vous l'avais dit. » Dunk lui plongea sa lame dans la gorge. « Je me débrouille mieux avec une épée. »

Deux des hommes d'armes repartirent en courant sous la pluie tandis qu'une mare de sang s'étalait sous le corps de Tom le Noir. Les autres serrèrent leur pique et hésitèrent, jetant des coups d'œil soupçonneux vers Dunk, en attendant que leur seigneur s'exprime.

« C'était… c'était une mauvaise action », réussit enfin à articuler Beurpuits. Il se tourna vers Dunk et l'Œuf. « Nous devons quitter Murs-Blancs avant que ces deux autres apprennent à Gormon Peake ce qui s'est produit. Il a plus d'amis que moi, parmi les invités. La poterne du rempart nord, nous allons nous enfuir par là… Venez, il faut se hâter… »

Dunk remisa d'une saccade son épée au fourreau. « Œuf, file avec lord Beurpuits. » Il passa un bras autour du gamin et baissa la voix. « Ne reste pas plus longtemps avec lui que nécessaire. Lâche les rênes à Pluie et détale avant que Sa Seigneurie change à nouveau de camp. Prends la route de Viergétang, c'est plus près que Port-Réal.

— Et vous, messer ?

— Ne t'inquiète pas pour moi.

— Je suis votre écuyer.

— Oui-da. Et tu vas faire ce que je te dis, sinon tu vas te ramasser une bonne taloche sur l'oreille. »

Un groupe d'hommes quittait la grand-salle, s'arrêtant assez longtemps pour se coiffer de leur capuchon avant de s'aventurer sous la pluie. Parmi eux figuraient le Vieil Aurochs, ainsi que le fluet lord Caswell, une fois de plus en état d'ébriété. Tous deux gardèrent leurs distances avec Dunk. Ser Mortimer Tourbier le gratifia d'un regard intrigué, mais préféra ne pas lui adresser la parole. Uthor Enverfeuille ne fut pas si timide. « Vous arrivez tard au banquet, messer, dit-il en enfilant ses gants. Et je vois que vous portez à nouveau une épée.

— Vous toucherez votre rançon pour elle, si c'est tout ce qui vous importe. » Dunk avait laissé derrière lui son bouclier endommagé, et drapé sa cape par-dessus son bras blessé pour dissimuler le sang. « À moins que je meure. Auquel cas, vous avez ma permission de dépouiller mon cadavre. »

Ser Uthor s'esclaffa. « Serait-ce de l'esprit chevaleresque, que je hume, ou simplement de la stupidité ? Ces deux fumets se ressemblent beaucoup, à mon souvenir. Il n'est pas trop tard pour accepter mon offre, messer.

— Il est plus tard que vous ne pensez », le mit en garde Dunk. Il n'attendit pas la réponse d'Enverfeuille, mais l'écarta pour franchir les doubles portes. La grand-salle puait la bière, la fumée et la laine trempée. En haut, dans la galerie, quelques musiciens jouaient en sourdine. Des rires résonnaient au haut bout des tables, où ser Kirby Pimm et ser Lucas Quenenny disputaient un concours de boisson. Sur l'estrade, lord Peake discutait sur un mode animé avec lord Costayne, tandis que la nouvelle épouse d'Ambrose Beurpuits siégeait, délaissée, à sa place d'honneur.

Au bas bout de la table, Dunk trouva ser Kyle qui noyait ses chagrins dans la bière de lord Beurpuits. Son tranchoir était garni d'un épais ragoût composé des restes de la veille. Dans les échoppes de soupe de Port-Réal, on appelait un tel plat : « un bol de brun ». Il n'éveillait visiblement aucun appétit chez ser Kyle. Abandonné, le ragoût avait refroidi et une pellicule grasse luisait à la surface du brun.

Dunk se glissa sur le banc à côté de lui. « Ser Kyle. »

Le Chat hocha la tête. « Ser Duncan. Voulez-vous de la bière ?

— Non. » La bière était bien la dernière chose dont il avait besoin.

« Seriez-vous souffrant, messer ? Pardonnez-moi, mais vous paraissez… »

… en meilleure forme que je ne me sens. « Qu'a-t-on fait de Glendon Boule ?

— On l'a conduit aux cachots. » Ser Kyle secoua la tête. « Engeance de putain ou pas, ce gamin ne m'a jamais fait l'effet d'être un voleur.

— Ce n'en est pas un. »

Ser Kyle le regarda en plissant les yeux. « Votre bras… comment avez-vous… ?

— Un poignard. » Dunk se tourna pour faire face à l'estrade, fronçant les sourcils. Il avait par deux fois échappé à la mort, aujourd'hui. Cela suffirait à la plupart des hommes, il le savait. *Dunk le balourd, lourd comme un vrai rempart*. Il se remit debout. « Votre Grâce », lança-t-il.

Sur les bancs voisins, quelques-uns posèrent leur cuillère, interrompirent leur conversation et se tournèrent pour le regarder.

« Votre Grâce », répéta Dunk, plus fort. Il remonta à grands pas le tapis myrien en direction de l'estrade. *« Daemon. »*

À cet instant, le silence se fit dans la moitié de la salle. Au haut bout de la table, l'homme qui s'était fait appeler le Ménétrier se retourna pour lui sourire. Il avait revêtu une tunique mauve pour le banquet, nota Dunk. *Mauve, pour faire ressortir la couleur de ses yeux*. « Ser Duncan, je suis ravi de vous voir avec nous. Que souhaitez-vous de moi ?

— Justice, répondit Dunk, pour Glendon Boule. »

Le nom résonna contre les murs et, l'espace d'un demi-battement de cœur, ce fut comme si chacun dans la salle, homme, femme et enfant, avait été changé en pierre. Puis lord Costayne abattit un poing contre une table et s'écria : « C'est la mort, qu'il mérite, pas la justice ! » Une douzaine de voix lui firent écho, et ser Harbert Paege déclara : « Il est né bâtard. Tous les bâtards sont des voleurs, quand ce n'est pas pire. Le sang ne trompe pas ! »

Pendant un instant, Dunk pensa sa cause désespérée. *Je suis seul ici*. Mais alors, ser Kyle le Chat se leva avec effort, ne tanguant que très légèrement. « Le petit est peut-être un bâtard, messeigneurs, mais c'est celui de *Boulenfeu*.

Ser Harbert l'a dit très justement. Le sang ne trompe pas ! »

Daemon se rembrunit. « Nul ne respecte Boulenfeu plus que moi, assura-t-il. Je refuse de croire que ce chevalier factice est de sa semence. Il a volé l'œuf de dragon, et tué trois braves, ce faisant.

— Il n'a rien volé, ni tué personne, insista Dunk. Si trois hommes ont été occis, cherchez ailleurs leur assassin. Votre Grâce le sait aussi bien que moi, ser Glendon a passé toute la journée dans la cour, à courir une joute après l'autre.

— Certes, reconnut Daemon. Je me suis étonné de cela, moi-même. Mais on a récupéré l'œuf de dragon dans ses fontes.

— Vraiment ? Et où se trouve-t-il, à présent ? »

Lord Gormon Peake se dressa, l'œil froid et impérieux. « En sécurité, et sous bonne garde. Et en quoi serait-ce de vos affaires, messer ?

— Qu'on l'apporte, demanda Dunk. J'aimerais le regarder de nouveau, m'sire. L'autre nuit, je ne l'ai vu qu'un court instant. »

Les yeux de Peake s'étrécirent. « Votre Grâce, annonça-t-il à Daemon, il me vient à l'esprit que ce chevalier errant est arrivé à Murs-Blancs en compagnie de ser Glendon, sans être invité. Il pourrait être mêlé à l'affaire. »

Dunk l'ignora. « Votre Grâce, l'œuf de dragon que lord Peake a trouvé parmi les biens de ser Glendon était celui qu'il y avait déposé.

Qu'il le présente, s'il le peut. Examinez-le vous-même. Je vous parie que ce n'est qu'une simple pierre peinte. »

Le chaos explosa dans la salle. Cent voix se mirent à parler en même temps, et une douzaine de chevaliers se dressèrent d'un bond. Daemon paraissait presque aussi jeune et aussi désorienté que l'avait été ser Glendon lorsqu'on l'avait accusé. « Seriez-vous ivre, mon ami ? »

J'aimerais bien. « J'ai perdu du sang, reconnut Dunk, mais pas la raison. Ser Glendon a été accusé faussement.

— Pourquoi ? voulut savoir Daemon, perplexe. Si Boule n'a rien fait de mal, comme vous l'affirmez, pourquoi Sa Seigneurie affirmerait-elle le contraire et tenterait-elle de le prouver avec un caillou peint ?

— Pour l'écarter de votre chemin. Sa Seigneurie a acheté vos autres adversaires avec de l'or et des promesses, mais Boule n'était pas à vendre. »

Le Ménétrier vira au rouge. « Ce n'est pas vrai.

— C'est vrai. Faites venir ser Glendon, et posez-lui vous-même la question.

— C'est ce que je vais faire. Lord Peake, amenez le bâtard sur-le-champ. Et apportez également l'œuf de dragon. Je désire l'examiner de plus près. »

Gormon Peake décocha un regard haineux à Dunk. « Votre Grâce, on est en train d'interroger le bâtard. Encore quelques heures et nous aurons une confession à vous remettre, je n'en doute pas.

— Par *on est en train de l'interroger*, m'sire entend *on est en train de le torturer*, intervint Dunk. Encore quelques heures et ser Glendon avouera avoir tué le père de Votre Grâce, et vos deux frères par-dessus le marché.

— *Il suffit !* » Le visage de lord Peake était presque mauve. « Encore un mot, et je vous fais arracher la langue à la racine.

— Vous mentez, dit Dunk. En voilà deux.

— Et vous allez les regretter tous les deux, promit Peake. Qu'on s'empare de cet homme et qu'on le mette aux fers dans un cachot.

— Non. » La voix de Daemon était dangereusement calme. « Je veux la vérité sur tout cela. Sunderland, Vouyvère, Petibois, prenez vos hommes et allez chercher ser Glendon au cachot. Faites-le monter immédiatement, et veillez à ce qu'il ne lui soit fait aucun mal. Si quiconque cherche à entraver votre action, dites-lui que vous servez la justice du roi.

— À vos ordres, répondit lord Vouyvère.

— Nous réglerons ceci comme le ferait mon père, annonça le Ménétrier. Ser Glendon est accusé de crimes graves. En tant que chevalier, il a le droit de se défendre par la force des armes. Je l'affronterai sur les lices, et que les dieux déterminent la culpabilité et l'innocence. »

Sang de héros ou de catin, songea Dunk lorsque deux des hommes de lord Vouyvère laissèrent crouler ser Glendon tout nu à ses pieds, *il en contient considérablement moins qu'auparavant.*

Le jeune homme avait été battu avec sauvagerie. Il avait le visage meurtri et enflé, plusieurs de ses dents étaient brisées ou manquantes, son œil droit pleurait du sang, et tout le long de son torse sa chair était rougie et craquelée aux endroits où on lui avait appliqué des fers rouges.

« Vous êtes en sécurité, à présent, lui murmura ser Kyle. Il n'y a ici que des chevaliers errants, et les dieux savent si notre espèce est inoffensive. » Daemon leur avait attribué les appartements du mestre, et ordonné de panser toutes les blessures qu'avait pu recevoir ser Glendon et de veiller à ce qu'il soit prêt pour les lices.

Trois ongles avaient été arrachés à la main gauche de Boule, constata Dunk en lavant le sang du visage et des mains du jeune homme. Cela l'inquiéta plus que le reste. « Êtes-vous capable de tenir une lance ?

— Une lance ? » Du sang et de la bave coulèrent de la bouche de ser Glendon quand il essaya de parler. « Est-ce que j'ai tous mes doigts ?

— Dix, répondit Dunk, mais sept ongles seulement. »

Boule hocha la tête. « Tom le Noir allait me sectionner les doigts, mais il a été appelé. Est-ce lui que je vais devoir combattre ?

— Non. Je l'ai tué. »

Cela le fit sourire. « Il fallait que quelqu'un s'en charge.

— Vous allez devoir jouter contre le Ménétrier, mais son vrai nom…

— … est Daemon, certes. On me l'a dit. Le Dragon Noir. » Ser Glendon rit. « Mon père est mort pour lui. J'aurais été son homme, et de grand cœur. J'aurais combattu pour lui, tué pour lui. Pour lui je serais mort, mais je ne pouvais pas perdre pour lui. » Il détourna la tête et cracha une dent cassée. « Pourrais-je avoir une coupe de vin ?

— Ser Kyle, apportez l'outre. »

Le jeune homme but à longs traits, puis s'essuya la bouche. « Regardez-moi. Je tremble comme une donzelle. »

Dunk se rembrunit. « Pouvez-vous encore tenir sur un cheval ?

— Aidez-moi à me laver, et donnez-moi mon bouclier, ma lance et ma selle, répondit ser Glendon, et vous verrez de quoi je suis capable. »

L'aube était presque venue quand la pluie diminua assez pour que le combat ait lieu. La cour du château était un champ de boue molle aux reflets mouillés sous le feu de cent torches. Au-delà du champ, se levait une brume grise, dressant des doigts spectraux le long des remparts de pierre pâle, pour agripper les mâchicoulis des murailles. Nombre des invités de la noce avaient disparu durant les quelques heures d'intervalle, mais ceux qui restaient gravirent de nouveau la tribune et s'installèrent sur des planches de pin trempées de pluie. Parmi eux se tenait ser Gormon Peake, entouré par un noyau de nobliaux et de chevaliers de maisons.

Voilà quelques années seulement que Dunk avait été écuyer du vieux ser Arlan. Il n'avait pas oublié les gestes. Il serra les boucles sur l'armure mal ajustée de ser Glendon, lui fixa son heaume sur le gorgerin, l'aida à monter en selle, et lui tendit son écu. Des affrontements précédents avaient laissé de profondes éraflures dans le bois, mais on voyait toujours la boule de feu ardent. *Il paraît aussi jeune que l'Œuf*, se dit Dunk. *Un gamin effrayé, et morose*. Son alezane ne portait aucun bardage, et elle était nerveuse. *Il aurait dû conserver sa propre monture. L'alezane est peut-être de meilleure race et plus rapide, mais un cavalier monte mieux un cheval qu'il connaît bien, et celui-ci lui est étranger.*

« Je vais avoir besoin d'une lance, déclara ser Glendon. Une lance de guerre. »

Dunk se dirigea vers les râteliers. Les lances de guerre étaient plus courtes et plus lourdes que les lances de tournoi employées au cours des joutes précédentes ; huit pieds de frêne massif terminé par une pointe en fer. Dunk en sélectionna une et s'en saisit, laissant courir sa main sur sa longueur pour s'assurer qu'elle ne présentait aucune fêlure.

À l'autre extrémité des lices, un des écuyers de Daemon lui tendait une lance de même nature. Ce n'était plus un ménétrier. En lieu d'épées et de vielles, le caparaçon de son palefroi arborait désormais le dragon à trois têtes de la maison Feunoyr, noir sur champ de gueules. Le prince avait également lavé ses cheveux de leur teinture noire, si bien qu'ils tombaient sur son col en une cascade d'argent et d'or qui scintillait comme métal battu à la clarté des torches. L'Œuf en aurait de tels si jamais il les laissait pousser, prit conscience Dunk. Il avait du mal à se le représenter ainsi, mais un jour, il le savait, il le devrait, en admettant qu'ils vivent tous deux assez longtemps.

Le héraut accéda une nouvelle fois à sa plateforme. « Ser Glendon le Bâtard est accusé de vol et de meurtre, proclama-t-il, et s'en vient à présent prouver son innocence au péril de son corps. Daemon de la maison Feunoyr, second du nom, Roi légitime des Andals, des Rhoynars et des Premiers Hommes, Seigneur des Sept Couronnes et Protecteur du Royaume, se présente pour prouver la véracité des accusations portées contre Glendon le bâtard. »

Et tout d'un coup les années tombèrent, et Dunk se retrouva au champ de Cendregué, à écouter Baelor Briselance, juste avant qu'ils ne s'élancent pour livrer le combat de leur vie. Il remit la lance de guerre à sa place, sélectionna une lance de tournoi sur le râtelier voisin ; douze pieds de long, fine, élégante. « Utilisez celle-ci, conseilla-t-il à ser

Glendon. C'est ce que nous avons employé à Cendregué, au Jugement des Sept.

— Le Ménétrier a choisi une lance de guerre. Il compte me tuer.

— Il faudra d'abord qu'il vous touche. Si vous visez juste, sa pointe ne vous atteindra jamais.

— Je ne sais pas.

— Moi, si. »

Ser Glendon lui arracha la lance des mains, fit tourner son cheval et trotta vers les lices. « Alors, que les Sept nous préservent tous deux. »

Quelque part à l'est, un éclair crépita dans un ciel rose pâle. Daemon racla de ses éperons d'or le flanc de son étalon et bondit en avant comme un coup de tonnerre, abaissant sa lance de guerre avec sa mortelle pointe en fer. Ser Glendon leva son bouclier et galopa à sa rencontre, tournant sa lance plus longue au-dessus de la tête de sa jument pour la diriger vers le torse du jeune prétendant. Des gerbes de boue jaillissaient sous les sabots de leurs chevaux, et les torches semblaient brûler plus fort, au lourd passage des deux chevaliers.

Dunk ferma les yeux. Il perçut un craquement, un cri, un choc sourd.

« Non, entendit-il lord Peake s'écrier avec douleur. Noooon. » Pendant l'espace d'un demi-battement de cœur, Dunk eut presque pitié de lui. Il rouvrit les yeux. Sans cavalier, le grand étalon noir ralentissait pour passer au trot. Dunk bondit et le saisit par ses rênes. À l'autre bout des lices, ser Glendon Boule faisait tourner sa jument et levait sa lance rompue. Des hommes se précipitaient sur la lice à l'endroit où le Ménétrier gisait sans bouger, le visage dans une flaque. Lorsqu'on l'aida à se relever, il n'était que boue, de la tête aux pieds.

« Le Dragon Brun ! » cria quelqu'un. Un rire courut à travers la cour tandis que l'aube déferlait sur Murs-Blancs.

Ce ne fut que quelques battements de cœur plus tard, tandis que Dunk et ser Kyle aidaient Glendon Boule à mettre pied à terre, que sonna la première trompette et que les sentinelles sur les remparts donnèrent l'alarme. Devant le château venait d'apparaître une armée, surgie des brumes du matin. « L'Œuf ne mentait pas, finalement », déclara Dunk à ser Kyle, abasourdi.

De Viergétang était venu lord Mouton, de Corneilla lord Nerbosc, de Sombreval lord Sombrelyn. Les domaines royaux autour de Port-Réal avaient dépêché des Fengué, des Rosby, des Castelfoyer, des Massey, et les propres épées liges du roi, menées par trois chevaliers de la Garde Royale et renforcées par trois cents Dents de Freux, armées de longs arcs blancs en bois de barral. Lady Lothston dite Folle Danelle était venue en personne des tours hantées d'Harrenhal, revêtue d'une armure noire qui la ceignait comme un gantelet de fer, laissant libres ses longs cheveux roux.

La lumière du soleil levant scintilla sur les pointes de cinq cents lances et dix fois autant de piques. Les grises bannières de la nuit ressuscitèrent en une demi-centaine de couleurs chamarrées. Et au-dessus de tout cela flottaient deux dragons royaux sur des champs noirs comme la nuit : la grande bête tricéphale du roi Aerys I Targaryen, rouge feu, et une furie aux ailes blanches, crachant une flamme écarlate.

Pas Maekar, en fin de compte, comprit Dunk en voyant ces bannières. Celles du prince de Lestival présentaient quatre dragons à trois têtes, deux et deux, les armes du quatrième né du défunt roi Daeron II Targaryen. Un unique dragon blanc annonçait la présence de la Main du Roi, lord Brynden Rivers.

Freuxsanglant était venu en personne à Murs-Blancs.

La première rébellion Feunoyr avait péri sur le champ d'Herberouge dans le sang et la gloire. La deuxième s'acheva dans un geignement. « Ils ne peuvent nous impressionner », clama le jeune Daemon depuis les remparts du château, après avoir vu l'anneau d'acier qui les ceinturait, « car notre cause est juste. Nous nous taillerons un passage à travers eux et nous galoperons à bride abattue sur Port-Réal ! Faites sonner les trompettes ! »

En fait, chevaliers, seigneurs et hommes d'armes murmurèrent tout bas entre eux, et quelques-uns commencèrent à s'éclipser, pour se diriger vers les écuries, une poterne ou une cachette dont ils espéraient qu'elles les préserveraient. Et lorsque Daemon tira son épée et la leva au-dessus de sa tête, chacun des hommes présents vit bien que ce n'était pas Feunoyr. « Nous créerons un nouvel Herberouge, ce jour, promit le prétendant.

— Je pisse là-dessus, petit vielleux, riposta un écuyer grisonnant. Je préfère vivre. »

Finalement, le second Daemon Feunoyr s'avança seul sur son cheval, tira les rênes face à l'ost royal et défia lord Freuxsanglant en combat singulier. « Je vous affronterai, ou ce lâche d'Aerys, ou tout champion qu'il vous plaira de nommer. » Mais les hommes de lord Freuxsanglant se bornèrent à l'encercler, le tirèrent à bas de son cheval et lui passèrent des entraves dorées. La bannière qu'il avait tenue fut plantée en terrain boueux, et brûlée. Elle flamba longtemps, soulevant un panache tordu de fumée qu'on put voir à des lieues à la ronde.

Le seul sang versé ce jour-là coula quand un homme au service de lord Vouyvère se vanta d'avoir été un des yeux de lord Freuxsanglant, et d'en être bientôt récompensé. « Le temps que la lune tourne, je baiserai des putains et je boirai du rouge de Dorne », aurait-il déclaré, juste avant qu'un des chevaliers de lord Costayne lui tranche la gorge. « Bois ça, jeta-t-il tandis que l'homme de Vouyvère se noyait dans son propre sang. C'est pas du Dorne, mais il est rouge. »

Sinon, ce fut une colonne morose et silencieuse qui franchit les portes de Murs-Blancs pour déposer les armes en une pile miroitante avant de se voir entraver et emporter, en attendant le jugement de lord Freuxsanglant. Dunk émergea avec le reste d'entre eux, ensemble avec ser Kyle le Chat et Glendon Boule. Ils avaient cherché ser Maynard pour qu'il se joigne à eux, mais Prünh s'était évaporé au cours de la nuit.

Il était tard dans l'après-midi quand ser Roland Crakehall de la Garde Royale trouva Dunk parmi les autres prisonniers. « Ser Duncan. Au nom des sept enfers, où vous cachiez-vous ? Lord Rivers vous réclame depuis des heures. Venez avec moi, s'il vous plaît. »

Dunk lui emboîta le pas. La longue cape de Crakehall claquait derrière lui à chaque saute de vent, aussi blanche que le clair de lune sur la neige. Cette vision ramena Dunk aux paroles prononcées par le Ménétrier, sur le toit. *J'ai rêvé que vous étiez tout de blanc vêtu, de pied en cap, avec un long manteau blanc qui flottait sur ces larges épaules.* Dunk eut un grognement de dérision. *Ouais, et tu as rêvé de dragons qui sortaient d'œufs de pierre. C'est aussi vraisemblable l'un que l'autre.*

Le pavillon de la Main se trouvait à un demi-mille du château, à l'ombre d'un orme immense. Une douzaine de vaches broutaient l'herbe à proximité. *S'élèvent et tombent les rois*, songea Dunk, vaches et petit peuple vaquent à leurs affaires. C'était une phrase que l'Ancien avait coutume de prononcer. « Que vont-ils tous devenir ? demanda-t-il à ser Roland tandis qu'ils croisaient un groupe de captifs assis dans l'herbe.

— Ils seront conduits à Port-Réal pour y être jugés. Les chevaliers et hommes d'armes devraient s'en tirer avec une peine assez légère. Ils suivaient simplement leurs seigneurs liges.

— Et les seigneurs ?

— Certains seront pardonnés, pour peu qu'ils disent la vérité sur ce qu'ils savent et cèdent un fils ou une fille afin de garantir leur loyauté future. Il en ira avec plus de dureté pour ceux qui ont reçu un pardon après le champ d'Herberouge. Ils seront emprisonnés ou frappés de mort civile. Les pires y perdront la tête. »

Freuxsanglant avait déjà commencé sur ce point, constata Dunk quand ils arrivèrent à son pavillon. Flanquant l'entrée, les chefs tranchés de Gormon Peake et de Tom Heddle le Noir étaient plantés sur des piques, leurs écus en exposition au-dessous. Trois châteaux, noir sur orange. L'homme qui a tué Roger de L'Arbre-sous.

Même dans la mort, les yeux de lord Gormon étaient durs comme silex. Dunk les ferma de ses doigts. « Pourquoi avez-vous fait ça ? lui demanda un des gardes. Les corbeaux les prendront bien assez vite.

— Je lui devais au moins cela. » Si Roger n'était pas mort ce jour-là, l'Ancien n'aurait jamais accordé un regard de plus à Dunk en le voyant poursuivre un cochon à travers les ruelles de Port-Réal. Un vieux roi mort a donné une épée à un fils plutôt qu'à un autre, voilà comment tout a commencé. Et à présent, je me retrouve ici, et ce pauvre Roger est dans la tombe.

« La Main attend », ordonna Roland Crakehall.

Dunk le dépassa pour rejoindre lord Brynden Rivers, bâtard, sorcier et Main du Roi.

L'Œuf se tenait devant lui, baigné de frais et revêtu d'atours princiers, ainsi qu'il seyait à un neveu du roi. À proximité, lord Frey siégeait sur une chaise de camp, une coupe de vin à la main et son atroce petit héritier qui se tortillait sur ses genoux. Lord Beurpuits se trouvait là, lui aussi... à genoux, visage blême, tout tremblant.

« La trahison n'est pas moins vile parce que le traître se révèle être un couard, disait lord Rivers. J'ai écouté vos bêlements, lord Ambrose, et j'en crois un mot sur dix. De sorte que je vous accorderai de conserver la dixième part de votre fortune. Vous pouvez également conserver votre épouse. Je vous en souhaite grande joie.

— Et Murs-Blancs ? demanda Beurpuits d'une voix tremblante.

— Confisqué par le Trône de Fer. J'ai l'intention de le démolir pierre à pierre et de semer de sel le site où il se dresse. Dans vingt ans, nul ne se souviendra qu'il a existé. De vieux fous et de jeunes mécontents continuent d'effectuer le pèlerinage au champ d'Herberouge et de planter des fleurs à l'endroit où est tombé Daemon Feunoyr. Je ne souffrirai pas que Murs-Blancs devienne un autre monument au Dragon Noir. » Il agita une main pâle. « À présent, disparais, cafard.

— La Main est généreuse. » Beurpuits s'en fut en titubant, tellement aveuglé par le chagrin qu'il ne sembla pas reconnaître Dunk au passage.

« Vous avez aussi ma permission de vous retirer, lord Frey, ordonna Rivers. Nous discuterons à nouveau plus tard.

— Comme mon seigneur le voudra. » Frey conduisit son fils hors du pavillon.

C'est alors seulement que la Main du Roi se tourna vers Dunk.

Il était plus vieux que dans le souvenir de Dunk, avec un visage ridé et dur, mais il avait toujours la peau pâle comme l'os, et sa joue et son cou portaient encore la vilaine tache de naissance vineuse où certains voyaient un freux. Ses bottes étaient noires, sa tunique écarlate. Par-dessus il avait une cape couleur de fumée, retenue par une broche en forme de main de fer. Ses cheveux lui tombaient aux épaules ; longs, blancs et raides, peignés en avant afin de dissimuler son œil manquant, celui qu'Aigracier lui avait pris sur le champ d'Herberouge. L'œil restant était très rouge. *Combien d'yeux lord Freuxsanglant possède-t-il ? Mille, et rien qu'un.*

« Nul doute que le prince Maekar avait de bonnes raisons pour autoriser son fils à servir comme écuyer auprès d'un chevalier errant, dit-il. Mais je ne saurais imaginer qu'il comptait dans leur nombre le fait qu'il lui livre un château rempli de traîtres ourdissant une rébellion. Comment se fait-il que j'arrive pour trouver mon cousin dans ce nid de vipères, messer ? Lord Beurre-au-cul voudrait me faire croire que le prince Maekar vous a envoyés ici, afin de flairer la rébellion sous le masque d'un chevalier mystère. Est-ce bien la vérité ? »

Dunk mit un genou en terre. « Non, m'sire. Je veux dire, si, m'sire. C'est ce que l'Œuf lui a raconté. Aegon, je veux dire. Le prince Aegon. Si bien que cette partie est la vérité. Mais ce n'est pas ce qu'on pourrait qualifier de vérité vraie, pourtant.

— Je vois. Donc, vous avez tous deux appris cette conspiration contre la couronne et vous avez décidé de la déjouer tout seuls, est-ce ainsi que cela s'est passé ?

— Ce n'est pas ça non plus. Nous avons, en quelque sorte… nous sommes tombés dessus par hasard, on pourrait dire, je suppose. »

L'Œuf croisa les bras. « Et ser Duncan et moi avions la situation bien en main avant que vous n'arriviez avec votre armée.

— Nous avons eu de l'aide, m'sire, ajouta Dunk.

— Des chevaliers errants.

— Certes, m'sire. Ser Kyle le Chat, et Maynard Prünh. Et ser Glendon Boule. C'est lui qui a désarçonné le Méné… le prétendant.

— Oui, je tiens déjà cette histoire d'une cinquantaine de lèvres. Le Bâtard de la Feuille de Rose. Né d'une putain et d'un traître.

— Né de *héros*, insista l'Œuf. Et s'il compte parmi les captifs, je veux qu'on le trouve et qu'on le libère. Et qu'on le récompense.

— Et qui êtes-vous pour dicter sa conduite à la Main du Roi ? »

L'Œuf ne broncha pas. « Vous savez qui je suis, cousin.

— Vous avez un écuyer insolent, messer, déclara lord Rivers à Dunk. Vous devriez le battre pour l'en guérir.

— J'ai essayé, m'sire. Mais c'est un prince.

— Ce qu'il est, répondit Freuxsanglant, c'est un *dragon*. Relevez-vous, messer. »

Dunk obéit.

« Il y a toujours eu des Targaryen qui rêvaient de choses à venir, depuis bien avant la Conquête, poursuivit Freuxsanglant, si bien que nous ne devons pas nous étonner si, de temps en temps, un Feunoyr présente lui aussi ce talent. Daemon a rêvé qu'un dragon naîtrait à Murs-Blancs, et c'est le cas. Cet idiot a simplement fait erreur sur sa couleur. »

Dunk regarda l'Œuf. *L'anneau*, vit-il. *La bague de son père. Il la porte à son doigt, et pas logée au fond de sa botte.*

« J'ai à moitié envie de vous ramener à Port-Réal avec nous, annonça lord Rivers à l'Œuf, et de vous garder à la cour comme… invité.

— Cela ne plairait guère à mon père.

— Non, je suppose. Le prince Maekar est… chatouilleux… de nature. Peut-être devrais-je vous renvoyer à Lestival.

— Ma place est auprès de ser Duncan. Je suis son écuyer.

— Que les Sept vous préservent tous deux. Comme vous voudrez. Vous êtes libres d'aller.

— Nous allons partir, dit l'Œuf, mais d'abord, nous avons besoin d'or. Ser Duncan doit verser à l'Escargot sa rançon. »

Freuxsanglant s'esclaffa. « Qu'est devenu l'enfant réservé que j'ai rencontré jadis à Port-Réal ? Comme vous voudrez, mon prince. Je donnerai instruction à mon trésorier de vous verser autant d'or que vous voudrez. Dans les limites du raisonnable.

— Simplement comme prêt, insista Dunk. Je le rembourserai.

— Quand tu apprendras à jouter, sans aucun doute. » Lord Rivers les congédia d'un mouvement des doigts, déroula un parchemin et se mit à marquer des noms d'un trait de plume.

Il indique les hommes qui vont mourir, comprit Dunk. « Messire, dit-il, nous avons vu les têtes au-dehors. Est-ce... le Ménétrier va-t-il... Daemon... lui prendrez-vous sa tête également ? »

Lord Freuxsanglant leva le regard de son parchemin. « Ce sera au roi Aerys de décider... mais Daemon a quatre frères plus jeunes, et des sœurs, également. Si j'étais assez sot pour trancher sa jolie tête, sa mère porterait le deuil, ses amis me maudiraient d'avoir assassiné quelqu'un de mon sang, et Aigracier couronnerait Haegon, son frère. Mort, le jeune Daemon est un héros. Vivant, il est un obstacle sur la route de mon demi-frère. Il pourra difficilement faire roi un troisième Feunoyr tant que le second demeure aussi peu opportunément vivant. D'ailleurs, un si noble captif sera un ornement pour notre cour, et le vivant testament de la clémence et de la bienveillance de Sa Grâce le roi Aerys.

— J'ai une question, moi aussi, intervint l'Œuf.

— Je commence à comprendre pourquoi votre père était tellement disposé à se débarrasser de vous. Que voulez-vous d'autre de moi, cousin ?

— Qui a pris l'œuf de dragon ? Il y avait des gardes à la porte, et d'autres encore dans l'escalier, aucun moyen pour quiconque d'entrer sans être vu dans la chambre à coucher de lord Beurpuits. »

Lord Rivers sourit. « Si je devais deviner, je dirais que quelqu'un a grimpé par l'intérieur du boyau des latrines.

— Le boyau était trop étroit pour qu'on l'escalade.

— Pour un homme. Un enfant l'aurait pu.

— Ou un nain », s'exclama Dunk. *Mille yeux, et un. Pourquoi certains d'entre eux n'appartiendraient-ils pas à une troupe de nains comiques ?*

CARTES

Le Nord
Château
Ville
Château en ruine
Bourg
Les Crocgivre
La Forêt Hantée
LE MUR
LA GRÈVE GLACÉE
Tour Ombreuse
Château noir
Fort levant
Reine Couronne
LE DON
BAIE DES PHOQUES
Skagos
BAIE DES GLACES
Atre-lès-Confins
Ultime
Ile-aux-Ours
Karhold
Presqu'île de Merdragon
Motte-la-Forêt
Bois-aux-Loups
Fort-Terreur
N
Winterfell
Blanchedague
Route Royale
Quart-Torrhen
Les Roches
LES TERTRES
LES RUS
Blancport
La Veuve
FJORD DE PIQUESEL
Moat Cailin
Baie d'Enfer
Pouce-Flint
LE NECK
LA MORSURE
Galet
Les Pie
Cap Kraken
Falaises de Flint
Griseaux
Les Trois Sœurs
LES DOIGTS
Les Jumeaux
Iles de Fer
Cap des Aigles
Vieux Wyk
Salvemer
VAL D'ARRYN
Les Eyrié
Grand Wyk
Baie du Fer-né
Harloi
La Porte Sanglante
Vieilles-Pierres
Verfurque
Bleufurque
Culbute
Ruffurque
Carte par James Sinclair

Le Sud
Château
Château en ruine
Les Piz
Les Trois Sœurs
LES DOIGTS
Grand-Arc
VAL D'ARRYN
Cordial
Les Eyrié
La Porte Sanglante
Goëville
Iles de Fer
Vieux-Wyk
Grand Wyk
Pyk
Harloi
Baie du Fer-né
Cap des Aigles
Salvemer
Verfurque
Route Royale
Bleufurque
Vieilles-Pierres
LE TRIDENT
Auberge
Ruffurque
Culbute
Vivesaigues
Herpivoie
Salins
Baie des Crabes
Falaise
Belle Ile
Belcastel
Noblecœur
La Glandée
Harrenhal
Pince-Isle
Cendremarc
La Dent d'Or
Ile aux Faces
L'Œildieu
Viergétang
Presqu'île de Claquepince
Sombreval
Lamarck
Peyredragon
Pierremoûtier
Castral Rock
Feux-de-Joie
Port-Lannis
Le Gosier
Rosby
La Baie de la Néra
Le Bec de Massey
Route d'Or
Port-Réal
Néra
Route du Front de Mer
LE BIEF
Bois-du-Roi
Wend
N
Bronzes
Torth
Route de la Rose
Pont-l'Amer
Cidre
Mander
La Vesprée
Accalmie
BAIE DES NAUFRAGEURS
Iles Bouclier
Cendregué
Lestival
Hautjardin
Séréna
Marches de Dorne
Havrenoir
Bois de la Pluie
Rubriant
Cap de l'Ire
Rocvert
Mielbois
Passe du Prince
Les Osseux
MER DE DORNE
Mielvin
Villevieille
Ferrugyer
Le Murmure
Les Météores
DORNE
Le Bras Cassé
Fléau
Voi
Lancehélion
Soufre
Versang
La Treille
Carte par James Sinclair

11446

Composition
NORD COMPO

Achevé d'imprimer en Slovaquie
par NOVOPRINT SLK
le 4 avril 2016.

Dépôt légal : avril 2016.
EAN 9782290126462
OTP L21EPGN000607N001

ÉDITIONS J'AI LU
87, quai Panhard-et-Levassor, 75013 Paris

Diffusion France et étranger : Flammarion